어휘력
자신감

초등 국어

2

단계

★ 초등 국어 어휘력 자신감은 ★ 이런 교재예요!

1 쉽고 재미있는 지문
- 글 내용이 쉽고 재미있어요.
- 주제가 다양해서 지루하지 않아요.
- QR코드를 찍어서 글 내용을 들을 수 있어요.
- 글을 읽으면서 속담과 관용어는 물론, 한자 성어와 교과 어휘까지 익힐 수 있어서 좋아요.

2 다양한 어휘 문제 유형
- 낱말의 정확한 뜻을 알 수 있어요.
- 낱말이 어떻게 활용되는지 알 수 있어요.
- 띄어쓰기 규칙과 맞춤법을 학습할 수 있어요.
- QR코드를 찍어서 받아쓰기 음성을 듣고, 낱말 게임을 할 수 있어요.

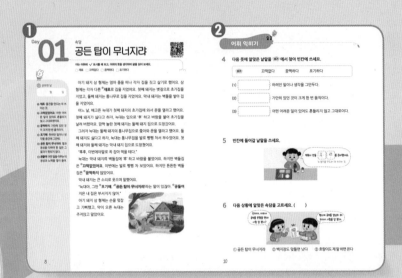

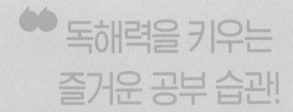

독해력을 키우는
즐거운 공부 습관!

3 교과 어휘를 배경지식과 함께!
- 교과서에 나오는 개념과 내용을 쉽고 재미있게 익힐 수 있어요.
- 글을 통해 배경 지식을 알 수 있어서 교과서 내용이 머리에 쏙쏙 들어와요.

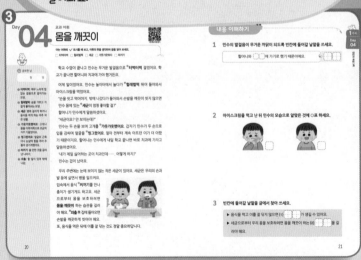

5 다양하고 재미있는 활동

- 여러 활동을 통해 어휘를 확장해요.
- 한 주 학습을 마친 뒤 퍼즐로 재미있게 복습해요.
- 붙임딱지를 붙이며 성취감도 느껴요.

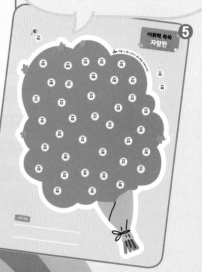

어휘력 UP!

하루 15분 ❤
어휘력 자신감!

한자로 공부하면 어려울 것 같았는데 그렇지 않았어요!

4 폭넓은 한자 어휘

- 한자가 지니고 있는 뜻을 쉽고 빠르게 알 수 있어요.
- 같은 한자가 쓰인 낱말을 폭넓게 익힐 수 있어서 어휘력이 쑥쑥 길러져요.

⭐ 이 책의 차례 ⭐

독해력을 키우는
즐거운 공부 습관

하루 15분

• 어휘력 자신감과 함께 시작하세요.

어휘력 자신감 1단계 I 2단계 I 3단계 I 4단계 I 5단계 I 6단계

알고 있는 어휘는
글에서 어떻게 쓰였는지 확인하고,
모르는 어휘는 글을 읽으며
재미있게 익혀 보아요!

1주 어휘
미리보기

뜻을 알고 있는 어휘에 ✔ 표 해 보세요.

배울 내용	배울 어휘	공부한 날
Day 01 속담 공든 탑이 무너지랴	☐ 재료 ☐ 끄떡없다 ☐ 꿈쩍하다 ☐ 포기하다	◯ 월 ◯ 일
Day 02 관용어 그림의 떡	☐ 초라하다 ☐ 부유하다 ☐ 마주치다 ☐ 상하다	◯ 월 ◯ 일
Day 03 한자 성어 이심전심(以心傳心)	☐ 휘둥그레지다 ☐ 아른거리다 ☐ 소홀하다 ☐ 원망하다	◯ 월 ◯ 일
Day 04 교과 어휘 몸을 깨끗이	☐ 터벅터벅 ☐ 헐레벌떡 ☐ 세균 ☐ 갸웃갸웃하다 ☐ 찌꺼기	◯ 월 ◯ 일
Day 05 한자 어휘 식구(食口)	☐ 식품 ☐ 식사 ☐ 과식 ☐ 인구 ☐ 창구 ☐ 항구	◯ 월 ◯ 일

속담

공든 탑이 무너지랴

2단계 01 지문 듣기

아는 어휘에 ✔ 표시를 해 보고, 어휘의 뜻을 생각하며 글을 읽어 보세요.

☐ 재료 ☐ 끄떡없다 ☐ 꿈쩍하다 ☐ 포기하다

🕐 **공부한 날**

월   일

❶ **재료**: 물건을 만드는 데 쓰이는 것.

❷ **끄떡없었어요**: 어떤 어려운 일이 있어도 흔들리지 않고 그대로였어요.

❸ **꿈쩍하지**: 가만히 있던 것이 크게 한 번 움직이지.

❹ **포기해**: 하려던 일이나 생각을 중간에 그만둬.

❺ **공든 탑이 무너지랴**: 힘과 정성을 다하여 한 일은 그 결과가 헛되지 않다.

❻ **공들여**: 어떤 일을 이루는 데 정성과 노력을 많이 들여.

아기 돼지 삼 형제는 엄마 품을 떠나 각자 집을 짓고 살기로 했어요. 삼 형제는 각자 다른 ❶**재료**로 집을 지었어요. 첫째 돼지는 볏짚으로 초가집을 지었고, 둘째 돼지는 통나무로 집을 지었어요. 막내 돼지는 벽돌을 쌓아 집을 지었어요.

어느 날, 배고픈 늑대가 첫째 돼지의 초가집에 와서 문을 열라고 했어요. 첫째 돼지가 싫다고 하자, 늑대는 입으로 '후' 하고 바람을 불어 초가집을 날려 버렸어요. 깜짝 놀란 첫째 돼지는 둘째 돼지 집으로 도망갔어요.

그러자 늑대는 둘째 돼지의 통나무집으로 쫓아와 문을 열라고 했어요. 둘째 돼지도 싫다고 하자, 늑대는 통나무집을 발로 뻥뻥 차서 부수었어요. 첫째 돼지와 둘째 돼지는 막내 돼지 집으로 도망쳤어요.

"후후, 이번에야말로 꼭 잡아 먹을 테다."

늑대는 막내 돼지의 벽돌집에 '후' 하고 바람을 불었어요. 하지만 벽돌집은 ❷**끄떡없었어요**. 이번에는 발로 뻥뻥 차 보았어요. 하지만 튼튼한 벽돌집은 ❸**꿈쩍하지** 않았어요.

막내 돼지는 큰 소리로 웃으며 말했어요.

"늑대야, 그만 ❹**포기해**. '❺**공든 탑이 무너지랴**'라는 말이 있잖아. ❻**공들여** 지은 내 집은 부서지지 않아."

아기 돼지 삼 형제는 손을 맞잡고 기뻐했고, 약이 오른 늑대는 주저앉고 말았어요.

1 아기 돼지 삼 형제가 집을 지은 재료를 찾아 선으로 이으세요.

(1) 첫째 돼지 •

(2) 둘째 돼지 •

(3) 막내 돼지 •

• ①

• ②

• ③

2 늑대가 막내 돼지 집을 부수지 <u>못한</u> 까닭을 고르세요. (　　)

① 아기 돼지 삼 형제가 몸으로 늑대를 막았기 때문이에요.

② 늑대가 기운이 없어서 바람을 세게 불지 못했기 때문이에요.

③ 막내 돼지가 단단한 벽돌로 집을 튼튼하게 지었기 때문이에요.

3 빈칸에 들어갈 말을 글에서 찾아 쓰세요.

> 늑대는 막내 돼지 집을 부수려 했어요. 하지만 막내 돼지의 벽돌집은 튼튼하게 지어져 부서지지 않았어요. 이처럼 힘과 정성을 다하여 한 일의 결과가 헛되지 않을 때 '□□□이 무너지랴'라고 해요.

4 다음 뜻에 알맞은 낱말을 보기 에서 찾아 빈칸에 쓰세요.

> 보기   끄떡없다   꿈쩍하다   포기하다

(1) [   ] : 하려던 일이나 생각을 그만두다.

(2) [   ] : 가만히 있던 것이 크게 한 번 움직이다.

(3) [   ] : 어떤 어려운 일이 있어도 흔들리지 않고 그대로이다.

5 빈칸에 들어갈 낱말을 쓰세요.

떡볶이 만들 ㅈ ㄹ 를 준비했어요.
↳ 물건을 만드는 데 쓰이는 것.

6 다음 상황에 알맞은 속담을 고르세요. (   )

민재야, 아파서 공부를 못했을 텐데 시험 잘 봤니?

평소에 공부를 열심히 해 두어서 시험을 잘 봤어.

① 공든 탑이 무너지랴   ② 백지장도 맞들면 낫다   ③ 호랑이도 제 말 하면 온다

7 다음 문장에 들어갈 바른 낱말에 ○표 하세요.

(1) 우리 가족이 살 집을 $\begin{Bmatrix} 짓고 \\ 짖고 \end{Bmatrix}$ 있어요.

(2) 말은 $\begin{Bmatrix} 든든한 \\ 튼튼한 \end{Bmatrix}$ 다리를 가지고 있어요.

(3) 돌을 한 장씩 $\begin{Bmatrix} 싸아 \\ 쌓아 \end{Bmatrix}$ 담장을 만들었어요.

8 밑줄 친 낱말을 바르게 고쳐 쓰세요.

(1) 우리 집 <u>형재</u>는 사이가 좋아요.

→ ☐ ☐

(2) 강아지가 나를 <u>쪼차와</u> 꼬리를 흔들었어요.

→ ☐ ☐ ☐

2단계 01 받아쓰기

9 들려주는 말을 잘 듣고 띄어쓰기에 유의하여 받아쓰세요.

(1) ☐ ☐ ∨ ☐ ☐ ∨ ☐ ☐ ☐ ☐ ☐ . ☐ ☐

(2) ☐ ☐ ☐ ∨ ☐ ☐ ☐ ☐ ☐ ☐ ☐ . ☐ ☐

(3) ☐ ☐ ∨ ☐ ☐ ∨ ☐ ☐ ☐ ☐ ☐ ☐ ☐

QR코드를 찍어
낱말 게임을
해 보세요.

2단계 01 낱말 게임

😊 맞은 개수 _____ /9개

11

스스로
붙임딱지

관용어
그림의 떡

아는 어휘에 ✔ 표시를 해 보고, 어휘의 뜻을 생각하며 글을 읽어 보세요.

☐ 초라하다   ☐ 부유하다   ☐ 마주치다   ☐ 상하다

🕐 공부한 날

월   일

❶ **초라한**: 겉모습이나 옷차림이 보잘것없는.

❷ **처지**: 처해 있는 형편.

❸ **부유하게**: 살림이 넉넉할 만큼 돈이 많게.

❹ **그림의 떡**: 아무리 마음에 들어도 이용할 수 없거나 가질 수 없는 것.

❺ **마주쳤어요**: 우연히 서로 만났어요.

❻ **상했니**: 건강이 좋지 않거나 걱정이 많아 야위었니.

❼ **빚**: 남에게 빌려 써서 갚아야 하는 돈.

　가난한 마틸드는 자신의 ❶**초라한** ❷**처지**를 괴로워했어요. 마틸드는 ❸**부유하게** 살고 싶어 했지요.

　어느 날, 마틸드는 파티에 초대받았어요. 마틸드는 파티에 입고 갈 드레스가 없어 슬퍼했어요. 그러자 마틸드의 남편이 드레스를 사라고 모아 두었던 돈을 주었어요. 마틸드는 옷 가게로 달려가 예쁜 드레스를 샀어요.

　마틸드는 집에 돌아가는 길에 보석 가게에서 눈부신 목걸이를 보았어요. 하지만 마틸드는 가난해서 그 목걸이를 살 수 없었어요. 마틸드에게 값비싼 목걸이는 ❹**그림의 떡**이었지요.

　마틸드는 친구를 찾아가 다이아몬드 목걸이를 빌렸어요. 화려한 목걸이를 한 마틸드는 파티장의 그 누구보다 아름다웠어요.

　마틸드는 집에 돌아와서 거울을 보고 깜짝 놀랐어요. 목걸이가 없어졌기 때문이에요. 아무리 찾아도 목걸이는 어디에도 보이지 않았어요. 결국 마틸드는 모양이 똑같은 목걸이를 사서 친구에게 돌려주었어요. 그리고 마틸드는 목걸이를 사느라 빌린 돈을 갚으려 쉴 새 없이 일했어요.

　세월이 흐른 어느 날, 마틸드는 목걸이를 빌려주었던 친구를 길에서 ❺**마주쳤어요**.

　"마틸드! 얼굴이 왜 이렇게 ❻**상했니**? 못 알아볼 뻔했어."

　"응. 사실 너에게 빌렸던 목걸이를 잃어버렸어. 똑같은 목걸이를 사느라 ❼**빚**을 져서 그 돈을 갚느라 힘들게 살았단다."

　"오, 불쌍한 마틸드! 그 목걸이는 아주 값싼 가짜 목걸이였는데……."

1 마틸드에 대한 설명으로 알맞은 것을 고르세요. (　　)

① 자신의 초라한 처지를 괴로워하며 지냈어요.

② 매일 파티에 참석하고 화려하게 꾸미며 지냈어요.

③ 가난했지만 남을 부러워하지 않고 행복하게 지냈어요.

2 빈칸에 들어갈 말을 글에서 찾아 쓰세요.

마틸드는 보석 가게에 있는 눈부신 목걸이를 사고 싶었어요. 하지만 가난한 마틸드에게 값비싼 목걸이는 □□□□□이었어요.

3 마틸드의 친구가 다음과 같은 말을 한 까닭을 고르세요. (　　)

"오, 불쌍한 마틸드!"

① 마틸드에게 파티에 입고 갈 드레스가 없었기 때문이에요.

② 마틸드가 목걸이를 살 돈이 없어 친구에게 목걸이를 빌렸기 때문이에요.

③ 마틸드가 가짜 목걸이 대신 진짜 목걸이를 사고 빚을 갚느라 힘들게 살았기 때문이에요.

4 다음 낱말의 알맞은 뜻을 보기 에서 찾아 번호를 쓰세요.

> 보기
> ① 우연히 서로 만나다.
> ② 겉모습이나 옷차림이 보잘것없다.
> ③ 건강이 좋지 않거나 걱정이 많아 야위다.

(1) 상하다 ☐ (2) 마주치다 ☐ (3) 초라하다 ☐

5 다음 밑줄 친 낱말과 뜻이 <u>반대</u>인 것을 고르세요. ( )

형님, 제가 가난해서 먹을 음식이 없습니다. 밥 좀 주세요.

① 초라해서 ② 화려해서 ③ 부유해서

6 다음 글을 읽고, 빈칸에 들어갈 말을 고르세요. ( )

> 5 월 25 일 날씨 맑음
>
> 수업을 마치고 문구점에 들렀다. 가지고 싶었던 로봇 장난감을 보았지만 나에게는 [   ]. 이미 용돈을 다 써서 살 수 없었기 때문이다.

① 식은 죽 먹기였다 ② 그림의 떡이었다

7 다음 문장에 들어갈 바른 낱말에 ○표 하세요.

(1) 아끼던 인형을 { 일어버렸어요 / 잃어버렸어요 }.

(2) 열심히 돈을 벌어서 { 빗 / 빚 }을 갚았어요.

8 밑줄 친 낱말을 바르게 고쳐 쓰세요.

(1)
> 갑비싼 그릇을 깨뜨렸어요.

→ ⬚⬚⬚

(3)
> 선수들은 쉴 세 없이 훈련했어요.

→ ⬚

2단계 02 받아쓰기

9 들려주는 말을 잘 듣고 띄어쓰기에 유의하여 받아쓰세요.

(1) ⬚ ∨ ⬚ ⬚ ∨ ⬚ ⬚ ⬚ ⬚ ⬚ ⬚ ⬚ ⬚ ⬚

(2) ⬚ ⬚ ⬚ ∨ ⬚ ∨ ⬚ ∨ ⬚ ⬚ ⬚ ⬚ ⬚ .

(3) ⬚ ∨ ⬚ ⬚ ∨ ⬚ ⬚ . ⬚ ⬚ ⬚ ⬚

QRコードを찍어
낱말 게임을
해 보세요.

2단계 02 낱말 게임

😊 맞은 개수 _____ /9개

15

스스로
붙임딱지

한자 성어

이심전심(以 써 이 心 마음 심 傳 전할 전 心 마음 심)

2단계 03 지문 듣기

아는 어휘에 ✔ 표시를 해 보고, 어휘의 뜻을 생각하며 글을 읽어 보세요.

☐ 휘둥그레지다 ☐ 아른거리다 ☐ 소홀하다 ☐ 원망하다

🕐 공부한 날

월   일

❶ 휘둥그레졌어요: 놀라거 나 무서워서 눈이 크고 둥 그렇게 되었어요.

❷ 아른거렸어요: 무엇이 희 미하게 보이다 말다 했어요.

❸ 자나깨나: 잘 때나 깨어 있 을 때나 늘.

❹ 소홀했어요: 중요하게 생 각하지 않아 정성이 부족 했어요.

❺ 곳간: 곡식 등을 넣어 보관 하는 창고.

❻ 이심전심: 마음과 마음으 로 서로 뜻이 통함.

❼ 원망하고: 마음에 들지 않 아서 탓하거나 미워하고.

옛날에 아주 사이좋은 형제가 살았어요. 형제가 다리를 건너고 있는데, 물속에 반짝반짝 빛나는 것이 있었어요.

"형님, 물속에 금 구슬이 있어요! 하나도 아니고 두 개나 있어요!"

형은 눈이 **❶휘둥그레졌어요**. 형제는 얼른 금 구슬을 주워 올렸어요.

"아우야, 이 금 구슬은 네가 발견했으니 네가 가져가거라."

"아닙니다, 형님. 형님이 저보다 식구가 더 많으니 형님이 가져가세요."

형과 아우는 서로 금 구슬을 양보하다가 하나씩 나누어 가지기로 했어요.

금 구슬을 가지고 집에 온 뒤로 형은 일을 하다가도 금 구슬이 눈앞에 **❷아른거렸어요**. 아우도 마찬가지였어요. 아우는 형과 금 구슬을 나누어 가진 것을 후회했어요.

형제는 **❸자나깨나** 금 구슬을 생각하느라 농사에 **❹소홀했어요**. 두 집안의 **❺곳간**도 텅텅 비었지요. 그제서야 형제는 잘못을 깨달았어요. 형은 동생을 찾아갔어요.

"아우야, 아무래도 이 금 구슬을 버려야겠다. 이것 때문에 너와 사이가 멀 어지고, 나도 게을러져서 집안이 엉망이구나."

"형님, **❻이심전심**이군요. 저도 형님을 **❼원망하고** 자꾸 욕심만 생겨서 금 구슬을 버려야겠다고 생각했어요."

형제는 강에 가서 금 구슬을 힘껏 던져버렸어요. 금 구슬은 풍덩 소리를 내며 강 속으로 사 라졌고 형제는 마주보며 웃었 어요.

1 형제가 다리를 건너다가 물속에서 발견한 것을 고르세요. (   )

①   ②   ③

2 이야기의 순서대로 ☐ 안에 숫자를 쓰세요.

☐ 잘못을 깨달은 형제는 금 구슬을 버리기로 결심했어요.

☐ 형제는 금 구슬을 강에 던져버리고 마주보며 웃었어요.

☐ 사이좋은 형제가 금 구슬 두 개를 주워 하나씩 나누어 가졌어요.

☐ 형제는 자나깨나 금 구슬을 생각하느라 농사에 소홀했어요.

3 빈칸에 들어갈 말을 글에서 찾아 쓰세요.

> 형제는 금 구슬 때문에 욕심이 생기고 농사에도 소홀했어요. 그래서 형과 아우 모두 금 구슬을 버려야겠다고 생각했어요. 형의 마음과 아우의 마음은 서로 통하는 ☐☐☐☐이었어요.

17

4 다음 낱말의 알맞은 뜻을 찾아 선으로 이으세요.

(1) 원망하다 •

(2) 소홀하다 •

(3) 아른거리다 •

• ① 무엇이 희미하게 보이다 말다 하다.

• ② 마음에 들지 않아서 탓하거나 미워하다.

• ③ 중요하게 생각하지 않아 정성이 부족하다.

5 대화의 빈칸에 들어갈 말을 고르세요. (　　　)

> 안내원: 모든 장난감을 마음대로 가지고 놀 수 있는 장난감 세상에 오신 것을
> 환영합니다!
>
> 상원: (　　　　　　　　) 정말요? 와! 신난다.
>
> 엄마: 상원아, 낮잠 그만 자고 일어나. 밥 먹어야지.
>
> 상원: 에이, 뭐야. 꿈이었잖아.

① 눈을 부릅뜨며　　　　② 눈이 휘둥그레지며　　　　③ 눈을 아래로 피하며

6 '이심전심'을 알맞게 사용한 친구를 고르세요. (　　　)

① **민정**: 나도 딸기를 먹고 싶었는데, 엄마가 딸기를 사 오시다니 '이심전심'이야.

② **주찬**: 도서관에서 책을 읽고 있는데, 수호가 초콜릿을 주다니 '이심전심'이야.

7 다음 문장에 들어갈 바른 낱말에 ○표 하세요.

(1) 언니와 싸운 것을 { 후해했어요 / 후회했어요 }.

(2) 나는 공을 { 힘껏 / 힘껐 } 차서 골대에 넣었어요.

8 밑줄 친 낱말을 바르게 고쳐 쓰세요.

(1) 자나<u>깨나</u> 불을 조심해야 해요.

→ ☐ ☐ ☐ ☐

(2) <u>그재서야</u> 안심했어요.

→ ☐ ☐ ☐ ☐

2단계 03 받아쓰기

9 들려주는 말을 잘 듣고 띄어쓰기에 유의하여 받아쓰세요.

(1) ☐ ☐ ∨ ☐ ☐ ∨ ☐ ☐ ☐ ☐

(2) ☐ ☐ ∨ ☐ ☐ ☐ ☐ ☐ .

(3) ☐ ☐ ∨ ☐ ☐ ∨ ☐ ☐ ☐ .

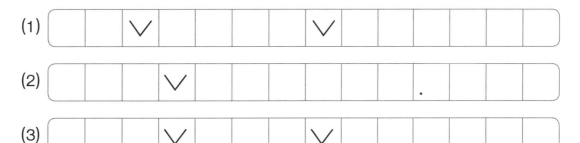

QR코드를 찍어
낱말 게임을
해 보세요.

2단계 03 낱말 게임

😊 맞은 개수 _____ /9개

스스로
붙임딱지

교과 어휘

몸을 깨끗이

2단계 04 지문 듣기

아는 어휘에 ✔ 표시를 해 보고, 어휘의 뜻을 생각하며 글을 읽어 보세요.

☐ 터벅터벅   ☐ 헐레벌떡   ☐ 세균   ☐ 갸웃갸웃하다   ☐ 찌꺼기

⏰ 공부한 날

월   일

❶ **터벅터벅**: 매우 느리게 힘 없는 걸음으로 걸어가는 모양.

❷ **헐레벌떡**: 숨을 가쁘고 거 칠게 몰아쉬는 모양.

❸ **세균**: 병에 걸리게 하거나 음식을 썩게 하는 아주 작 은 생물.

❹ **갸웃갸웃했어요**: 고개나 몸을 이쪽저쪽으로 조금씩 자꾸 기울였어요.

❺ **찡그렸어요**: 얼굴의 근육 이나 눈살에 힘을 주어 주 름이 생기게했어요.

❻ **찌꺼기**: 쓸 만한 것을 골라 낸 나머지.

❼ **외출**: 할 일이 있어 밖에 나감.

　학교 수업이 끝나고 민수는 무거운 발걸음으로 ❶**터벅터벅** 걸었어요. 학 교가 끝나면 할머니와 치과에 가야 했거든요.

　어제 일이었어요. 민수는 놀이터에서 놀다가 ❷**헐레벌떡** 뛰어 들어와서 아이스크림을 먹었어요.

　"손을 씻고 먹어야지. 밖에 나갔다가 돌아와서 손발을 깨끗이 씻지 않으면 민수 몸에 있는 ❸**세균**이 엄청 좋아할 걸?"

　할머니가 민수에게 말씀하셨어요.

　"세균이요? 안 보이는데?"

　민수는 두 손을 보며 고개를 ❹**갸웃갸웃했어요**. 갑자기 민수가 두 손으로 입을 감싸며 얼굴을 ❺**찡그렸어요**. 얼마 전부터 계속 아프던 이가 더 아팠 기 때문이지요. 할머니는 민수에게 내일 학교 끝나면 바로 치과에 가자고 말씀하셨어요.

　'내가 제일 싫어하는 곳이 치과인데……. 어떻게 하지?'

　민수는 겁이 났어요.

　우리 주변에는 눈에 보이지 않는 작은 세균이 있어요. 세균은 우리의 손과 발 등에 살면서 병을 일으켜요. 입속에서 음식 ❻**찌꺼기**를 만나 충치가 생기게도 하고요. 세균 으로부터 몸을 보호하려면 **몸을 깨끗이** 하는 습관을 길러 야 해요. ❼**외출** 후 집에 돌아오면 손발을 깨끗하게 씻어야 해요.

또, 음식을 먹은 뒤에 이를 잘 닦는 것도 정말 중요하답니다.

1 민수의 발걸음이 무거운 까닭이 되도록 빈칸에 들어갈 낱말을 쓰세요.

할머니와 ☐☐에 가기로 했기 때문이에요. ☐☐

2 아이스크림을 먹고 난 뒤 민수의 모습으로 알맞은 것에 ○표 하세요.

 ☐

 ☐

3 빈칸에 들어갈 낱말을 글에서 찾아 쓰세요.

▶ 음식을 먹고 이를 잘 닦지 않으면 (1) ☐☐가 생길 수 있어요.

▶ 세균으로부터 우리 몸을 보호하려면 몸을 깨끗이 하는 (2) ☐☐을 길러야 해요.

4 다음 낱말과 어울리는 그림을 찾아 선으로 이으세요.

(1) 갸웃갸웃

(2) 터벅터벅

(3) 헐레벌떡

①

②

③

5 다음 빈칸에 공통으로 들어갈 낱말을 쓰세요.

- 아빠는 음식물 ☐☐☐ 를 봉투에 담았어요.
  ↳ 쓸 만한 것을 골라낸 나머지.

- 엄마는 새우를 다듬고 남은 ☐☐☐ 를 버렸어요.

찌	끼	ㄱ

6 다음 만화를 읽고, 빈칸에 들어갈 낱말을 쓰세요.

손을 물로만 씻으면 ☐ㅅ☐ㄱ☐ 이 없어지지 않아요. 비누로 깨끗하게 씻어야 해요.

손을 씻고 왔나요? 한 명씩 차례대로 램프에 손을 비춰 보세요.

앗, 선생님! 손을 씻었는데 아직도 제 손에 뭐가 묻어 있어요!

7 다음 문장에 들어갈 바른 낱말에 ○표 하세요.

(1) 손을 { 깨끄치 / 깨끗이 } 씻어야 해요.

(2) 나는 이를 { 닦는 / 땎는 } 것을 좋아해요.

8 밑줄 친 낱말을 바르게 고쳐 쓰세요.

(1)
> 당근은 내가 제일 <u>시러하는</u> 채소예요.

→ ☐ ☐ ☐ ☐

(2)
> <u>왜출</u>하고 돌아오면 손을 씻어야 해요.

→ ☐ ☐

9 들려주는 말을 잘 듣고 띄어쓰기에 유의하여 받아쓰세요.

(1)

(2)

(3)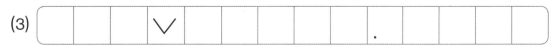

QR코드를 찍어
낱말 게임을
해 보세요.

2단계 04 낱말 게임

맞은 개수 _____ /9개

23

스스로
붙임딱지

한자 어휘

식구(食口)

● 食(식)은 '먹다'를 뜻해요.

 →

그릇에 밥이 가득 담긴 모습에서 만들어진 글자예요.

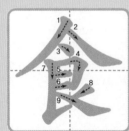 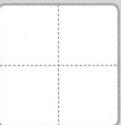 

食

먹을 **식**

食(식)이 들어간 다음 어휘 중에서 아는 것에 ✔ 표시를 해 보세요.

☐ 식품   ☐ 식사   ☐ 과식

식	품	
먹을 食	물건 品	

뜻 사람이 먹는 음식물.
예 생선은 더운 날씨에 상하기 쉬운 식품이에요.

식	사	
먹을 食	일 事	

뜻 날마다 일정한 시간에 음식을 먹는 일. 또는 그 음식.
예 저는 식당에서 친구들과 점심 식사를 했어요.

과	식	
지날 過	먹을 食	

뜻 음식을 지나치게 많이 먹음.
예 과식을 해서 배가 아파요.

'식구'는 함께 살면서 밥을 같이 먹는 사람을 말해요.

입 구

● 口(구)는 '입', '드나드는 곳' 등을 뜻해요.

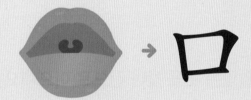

입을 벌리고 있는 모습에서 만들어진 글자예요.

口(구)가 들어간 다음 어휘 중에서 아는 것에 ✔ 표시를 해 보세요.

☐ 인구   ☐ 창구   ☐ 항구

인 구 사람 人 입 口	뜻 일정한 지역에 사는 사람의 수. 예 경기도는 대한민국에서 가장 인구가 많은 지역이에요.
창 구 창 窓 입 口	뜻 표, 돈, 물건 등을 주고받을 수 있는 장소. 또는 창을 통해 사람과 마주하고 일을 보는 곳. 예 사람들이 기차표를 사려고 창구 앞에 줄을 섰어요.
항 구 항구 港 입 口	뜻 강가나 바닷가에 배를 댈 수 있게 만든 곳. 예 큰 배가 항구를 떠나고 있어요.

1 다음 한자에 알맞은 음(소리)과 뜻을 선으로 이으세요.

(1) 食 •   •① 구 •   •㉮ 입

(2) 口 •   •② 식 •   •㉯ 먹다

2 다음 낱말의 알맞은 뜻을 찾아 선으로 이으세요.

(1) 항구 •   •① 음식을 지나치게 많이 먹음.

(2) 과식 •   •② 일정한 지역에 사는 사람의 수.

(3) 인구 •   •③ 강가나 바닷가에 배를 댈 수 있게 만든 곳.

3 빈칸에 알맞은 낱말을 에서 찾아 쓰세요.

보기   식품   식사   창구

(1) 아침 ☐☐ 를 하는 것이 건강에 좋아요.
↳ 날마다 일정한 시간에 음식을 먹는 일.

(2) 냉동된 ☐☐ 은 오래 보관할 수 있어요.
↳ 사람이 먹는 음식물.

(3) 3번 ☐☐ 에서 통장을 새로 만들 수 있어요.
↳ 창을 통해 사람과 마주하고 일을 보는 곳.

[4~5] 다음 그림을 보고, 물음에 답하세요.

4 그림 속 빈칸에 '식(食)'과 '구(口)' 가운데에서 알맞은 글자를 쓰세요.

나가는 곳

(1) 급 □ □ 실
학교 등에서 <u>식사</u>를 하는 방.

(2) 입 □
<u>들어가는 곳</u>.

(3) 출 □
<u>나가는 곳</u>.

(4) □ 단
먹을 음식의 종류와
순서를 짜놓은 계획표.

우리들의 점심시간
월 화 수 목 금

5 빈칸에 들어갈 낱말을 쓰세요.

(1) 점심 시간이 되어 □□□ 앞에서 줄을 섰어요.

(2) 차례대로 □□로 들어가고,

점심식사를 마치면 □□로 나가요.

(3) □□을 보니, 내일은 돈가스가 나와요.

QR코드를 찍어
낱말 게임을
해 보세요.

2단계 05 낱말 게임

맞은 개수 _____ /5개

스스로
붙임딱지

정답과 해설 4쪽

다음 뜻에 알맞은 낱말을 퍼즐판에서 찾고 빈칸에 쓰세요.

부	재	료	인	🐰
유	과	식	구	포
하	🐰	세	🐰	기
다	🐰	균	🐰	하
아	른	거	리	다

(1) 포 ▢ ▢ ▢ : 하려던 일이나 생각을 중간에 그만두다.

(2) ▢ 료 : 물건을 만드는 데 쓰이는 것.

(3) ▢ 유 ▢ : 살림이 넉넉할 만큼 돈이 많다.

(4) 아 ▢ ▢ ▢ ▢ : 무엇이 희미하게 보이다 말다 하다.

(5) ▢ 균 : 병에 걸리게 하거나 음식이 썩게 하는 아주 작은 생물.

(6) ▢ 식 : 음식을 지나치게 많이 먹음.

(7) ▢ 구 : 일정한 지역에 사는 사람의 수.

알고 있는 어휘는
글에서 어떻게 쓰였는지 확인하고,
모르는 어휘는 글을 읽으며
재미있게 익혀 보아요!

2주 어휘 미리보기

뜻을 알고 있는 어휘에 ✓ 표 해 보세요.

	배울 내용	배울 어휘	공부한 날
Day 06	속담 **우물 안 개구리**	☐ 으스대다 ☐ 문득 ☐ 재다 ☐ 요리조리 ☐ 다물다	월 일
Day 07	관용어 **해가 서쪽에서 뜨다**	☐ 성품 ☐ 실수 ☐ 피어오르다 ☐ 정직하다 ☐ 행운 ☐ 품	월 일
Day 08	한자 성어 **개과천선(改過遷善)**	☐ 억지로 ☐ 다행히 ☐ 구하다 ☐ 피우다	월 일
Day 09	교과 어휘 **봄철 날씨의 특징**	☐ 황사 ☐ 터뜨리다 ☐ 꽃가루 ☐ 시샘하다 ☐ 꽃샘추위 ☐ 변덕쟁이	월 일
Day 10	한자 어휘 **수족(手足)**	☐ 수제 ☐ 수단 ☐ 선수 ☐ 만족 ☐ 부족 ☐ 족적	월 일

우물 안 개구리

아는 어휘에 ✔ 표시를 해 보고, 어휘의 뜻을 생각하며 글을 읽어 보세요.

☐ 으스대다 ☐ 문득 ☐ 재다 ☐ 요리조리 ☐ 다물다

🕐 공부한 날

월   일

❶ **우물**: 물을 얻기 위해 땅을 퍼서 지하수가 모이도록 한 곳.

❷ **으스대며**: 보기에 좋지 않게 우쭐거리며 뽐내며.

❸ **문득**: 생각이나 느낌이 갑자기 떠오르는 모양.

❹ **잴**: 도구나 방법 등을 써서 길이, 크기, 양 등의 정도를 알아볼.

❺ **요리조리**: 방향을 정하지 않고 요쪽 조쪽으로.

❻ **다물지**: 윗입술과 아랫입술을 붙여 입을 닫지.

❼ **우물 안 개구리**: 사회의 형편을 모르는 사람. 또는 보고 들은 경험이나 지식이 적은 사람.

작은 우물 안에 개구리 한 마리가 살고 있었어요. 개구리는 태어나서 한 번도 ❶**우물** 밖으로 나가 보지 못했어요.

어느 날, 바다에 사는 거북이 개구리가 사는 우물에 왔어요.

"안녕. 너는 누구니?"

"안녕. 나는 거북이야."

"거북아, 이 우물은 아주 넓고 멋진 곳이란다. 내가 사는 이곳으로 들어와 보지 않을래?"

개구리가 ❷**으스대며** 말했어요.

거북은 개구리의 말을 듣고 우물 안으로 들어가 보았어요. 하지만 거북에게 우물은 너무 좁고 재미가 없었어요. 개구리는 ❸**문득** 거북이 사는 곳이 궁금했어요.

"그런데 너는 어디에서 살아?"

"나는 바다에서 살아. 혹시 바다에 가 본 적이 있니?"

"아니, 바다는 어떤 곳이야?"

"바다는 너무 넓고 깊어서 어떤 자로도 ❹**잴** 수가 없고, 매우 아름다워. 바닷속에는 화려한 산호초가 꽃밭을 이루고 있고, 물고기들이 떼를 지어 ❺**요리조리** 헤엄쳐 다녀."

개구리는 바다에 대한 이야기를 듣고 놀라서 쩍 벌어진 입을 ❻**다물지** 못했어요. 우물이 세상의 전부인 줄 알았던 ❼**우물 안 개구리**는 바다가 어떤 곳인지 상상조차 할 수 없었어요.

1 개구리에 대한 설명으로 알맞은 것을 고르세요. (　　　)

① 거북과 친한 친구 사이에요.

② 우물 안에서 사는 것이 재미없었어요.

③ 태어나서 한 번도 우물 밖으로 나가 본 적이 없어요.

2 바다에 대한 이야기를 듣고 개구리가 지은 표정에 ○표 하세요.

3 빈칸에 들어갈 말을 글에서 찾아 쓰세요.

거북은 개구리에게 넓고 깊은 바다의 모습에 대해 이야기해 주었어요. 하지
만 [ ][ ][ ][ ][ ][ ]는 우물에서만 살았기 때문에 바다가
어떤 곳인지 상상조차 할 수 없었어요.

4 다음 낱말의 알맞은 뜻을 찾아 선으로 이으세요.

(1) 문득 •

(2) 요리조리 •

• ① 방향을 정하지 않고 요쪽 조쪽으로.

• ② 생각이 갑자기 떠오르는 모양.

5 빈칸에 들어갈 낱말을 보기 에서 찾아 쓰세요.

보기   잴다   으스댔다   다물었다

(1) 동생은 비밀을 지키려고 입을 꾹 [   ].

↳ 윗입술과 아랫입술을 붙여 닫았다.

(2) 동물병원에서 강아지의 몸무게를 [   ].

↳ 도구나 방법 등을 써서 길이, 크기, 양 등의 정도를 쟀다.

(3) 수영이는 자기가 장난감이 제일 많다고 [   ].

↳ 보기에 좋지 않게 우쭐거리며 뽐냈다.

6 여자아이의 상황에 어울리는 속담을 고르세요. (   )

① 그림의 떡   ② 우물 안 개구리   ③ 꿀 먹은 벙어리

7 다음 문장에 들어갈 바른 낱말에 ○표 하세요.

(1) 체중계로 몸무게를 { 잴 / 젤 } 수 있어요.

(2) 새들이 { 떼 / 때 }를 지어 날고 있어요.

8 밑줄 친 낱말을 바르게 고쳐 쓰세요.

(1) 저녁 메뉴가 <u>궁금했어요</u>.

→ □ □ □ □ □

(2) 바다는 아주 <u>기퍼요</u>.

→ □ □ □

9 들려주는 말을 잘 듣고 띄어쓰기에 유의하여 받아쓰세요.

(1) | | | ∨ | | ∨ | | | | | | | | |

(2) | | | ∨ | | | ∨ | | | ∨ | | | | . |

(3) | | | | | ∨ | | | ∨ | | | . | |

QR코드를 찍어
낱말 게임을
해 보세요.
2단계 06 낱말게임

맞은 개수 _____ /9개

07

관용어

해가 서쪽에서 뜨다

2단계 07 지문 듣기

아는 어휘에 ✔ 표시를 해 보고, 어휘의 뜻을 생각하며 글을 읽어 보세요.

☐ 성품 ☐ 실수 ☐ 피어오르다 ☐ 정직하다 ☐ 행운 ☐ 품

 🕐 공부한 날

월 일

❶ **성품**: 사람의 성질이나 됨됨이.

❷ **실수**: 잘 알지 못하거나 조심하지 않아서 저지르는 잘못.

❸ **피어오르고**: 김이나 연기, 구름 등이 계속 위로 올라가고.

❹ **정직한**: 마음에 거짓이나 꾸밈이 없고 바르고 곧은.

❺ **행운**: 좋은 운수.

❻ **해가 서쪽에서 떴나**: 전혀 예상 밖의 일이나 절대로 있을 수 없는 희한한 일이 벌어졌네.

❼ **품**: 두 팔을 벌려서 안을 때의 가슴.

옛날 깊은 산골에 ❶**성품**이 착한 나무꾼이 살았어요. 어느 날 나무꾼이 연못가에서 나무를 자르다가 ❷**실수**로 도끼를 깊은 연못에 빠뜨리고 말았어요.

"딱 하나밖에 없는 도끼인데 이제 어떡하지?"

바로 그때, 연못에서 하얀 연기가 ❸**피어오르고** 신령님이 나타났어요.

"이것이 네 도끼가 맞느냐?"

신령님은 번쩍번쩍 빛이 나는 금도끼를 나무꾼에게 보여 주며 물었어요.

"그것은 제 도끼가 아닙니다."

그러자 신령님이 이번에는 반짝거리는 은도끼를 보여 주며 물었어요.

"그럼 이것은 네 도끼가 맞느냐?"

"그것도 제 도끼가 아닙니다."

신령님은 마지막으로 낡은 쇠도끼를 보여 주며 물었어요.

"그렇다면 이것이 네 도끼가 맞느냐?"

"예! 그 도끼가 바로 제 도끼입니다!"

나무꾼은 도끼를 찾은 것이 기뻐 큰 소리로 대답했어요.

"참 ❹**정직한** 나무꾼이로구나. 너에게 금도끼와 은도끼도 모두 주겠다."

신령님은 도끼 세 자루를 나무꾼에게 주었어요. 나무꾼은 신령님에게서 자신의 도끼 외에 금도끼, 은도끼까지 받아 정말 기뻤어요.

"나에게 이런 ❺**행운**이 찾아오다니! 믿을 수가 없어! 오늘은 ❻**해가 서쪽에서 떴나?**"

나무꾼은 도끼를 ❼**품**에 안고 가벼운 발걸음으로 산을 내려갔어요.

이야기 속 상식

해는 동쪽에서 떠서 서쪽으로 져요. 해가 서쪽에서 뜬다는 것은 있을 수 없는 일이에요.

1 나무꾼이 연못에 빠뜨린 도끼에 ○표 하세요.

2 신령님이 나무꾼에게 도끼 세 자루를 모두 준 까닭을 고르세요. (   )

① 가난한 나무꾼이 불쌍해서
② 나무꾼이 욕심을 내지 않고 정직하게 말해서
③ 나무꾼이 세 자루의 도끼를 모두 갖고 싶어 해서

3 빈칸에 들어갈 말을 글에서 찾아 쓰세요.

> 신령님은 나무꾼에게 금도끼, 은도끼, 쇠도끼를 모두 주었어요. 나무꾼은
> 자신에게 찾아온 행운이 믿기지 않았어요. 그래서 "오늘은 해가 ☐☐
> 에서 떴나?"라고 말했어요.

35

4 낱말의 뜻이 알맞지 <u>않은</u> 것을 고르세요. (　　　)

① **품**: 두 팔을 벌려서 안을 때의 가슴.

② **피어오르다**: 연기 등이 계속 위로 올라가다.

③ **행운**: 잘 알지 못하거나 조심하지 않아서 저지르는 잘못.

5 밑줄 친 낱말이 문장에 어울리면 ○표, 어울리지 않으면 ×표 하세요.

(1) 피노키오는 거짓말을 잘하는 <u>정직한</u> 아이에요.

↳ 마음에 거짓이나 꾸밈이 없고
바르고 곧은.

(2) 연수는 착하고 너그러운 <u>성품</u>을 가지고 있어요.

↳ 사람의 성질이나 됨됨이.

(3) 미나는 <u>실수</u>로 장난감을 떨어뜨리고 말았어요.

↳ 조심하지 않아서 저지르는 잘못.

6 다음 만화를 읽고, 빈칸에 들어갈 말을 고르세요. (　　　)

① 뿌린대로 거두었나　　　　② 속이 시원한가　　　　③ 해가 서쪽에서 떴나

7 다음 문장에 들어갈 바른 낱말을 찾아 선으로 이으세요.

(1) 저 강은 어른 키만큼 _____.

(2) 밤하늘에 보름달이 환하게 _____.

• ① 깁다

• ② 깊다

• ③ 떳다

• ④ 떴다

8 밑줄 친 낱말을 바르게 고쳐 쓰세요.

나는 (1) 실쑤로 과자를 (2) 연몯에 빠뜨리고 말았어요.

(1) ☐☐   (2) ☐☐

9 들려주는 말을 잘 듣고 띄어쓰기에 유의하여 받아쓰세요.

(1) ☐ ∨ ☐ ☐ ☐ ∨ ☐ ☐ ∨ ☐ ☐ ☐

(2) ☐ ☐ ∨ ☐ ☐ ∨ ☐ ☐ ☐ ☐ ☐

(3) ☐ ∨ ☐ ☐ ∨ ☐ ☐ ☐ ☐ ☐ .

QR코드를 찍어
낱말 게임을
해 보세요.

2단계 07 낱말 게임

😊 맞은 개수 _____ /9개

스스로
붙임딱지

한자 성어

개과천선(改 고칠 개 過 지날 과 遷 옮길 천 善 착할 선)

2단계 08 지문 듣기

아는 어휘에 ✔ 표시를 해 보고, 어휘의 뜻을 생각하며 글을 읽어 보세요.

☐ 억지로 ☐ 다행히 ☐ 구하다 ☐ 피우다

🕐 **공부한 날**

월   일

❶ **탐나서**: 자기 것으로 가지고 싶은 마음이 생겨서.

❷ **억지로**: 당연한 원리나 조건에 맞지 않게 강제로.

❸ **다행히**: 뜻밖에 운이 좋게.

❹ **구하러**: 어렵거나 위험한 상황에서 벗어나게 하여.

❺ **피웠어요**: 불을 일으켜 타게 했어요.

❻ **간질간질해서**: 자꾸 간지러운 느낌이 들어서

❼ **개과천선**: 지난날의 잘못이나 못된 마음을 고쳐 올바르고 착하게 됨.

제페토 할아버지는 나무 인형 피노키오를 만들었어요. 그날 밤, 천사는 피노키오가 말을 하고 움직일 수 있게 해 주었어요. 할아버지는 기뻐하며 피노키오를 학교에 보냈어요.

"피노키오, 우리가 학교보다 더 재미있는 곳을 알고 있어. 같이 갈래?"

피노키오는 여우와 고양이를 따라 인형 극장에 갔어요. 인형 극장 주인은 말하는 인형 피노키오가 ❶**탐나서** 피노키오를 새장에 가두었어요. 그때 천사가 나타났어요.

"저는 오기 싫다는데 여우와 고양이가 저를 ❷**억지로** 끌고 왔어요."

피노키오가 천사에게 거짓말을 하자 피노키오의 코가 쭉 길어졌어요. 깜짝 놀란 피노키오가 거짓말한 것을 뉘우치자 피노키오의 코가 줄어들었어요.

피노키오는 천사의 도움으로 집에 돌아갔지만, 집에는 아무도 없었어요. 할아버지가 피노키오를 찾다가 바다에 빠지셨다고 비둘기가 말해 주었어요.

피노키오는 바다에 뛰어들었어요. 그러자 커다란 고래가 나타나 피노키오를 꿀꺽 삼켰어요. ❸**다행히** 할아버지는 고래 배 속에 살아 계셨어요.

"엉엉, 잘못했어요, 아빠."

"아니야. 이렇게 날 ❹**구하러** 와 줘서 고맙다."

할아버지는 고래 배 속에 불을 ❺**피웠어요**. 배 속에서 연기가 올라오자 고래는 코가 ❻**간질간질해서** 재채기를 했어요. 고래의 재채기 덕분에 피노키오와 할아버지는 고래 배 속에서 나왔어요.

"앞으로 정말 착한 아이가 될게요."

말썽쟁이였던 피노키오가 ❼**개과천선**하자 진짜 사람이 되었어요.

1 새장에 갇힌 피노키오가 천사에게 한 말로 알맞은 것을 고르세요. (   )

① "여우와 고양이가 학교보다 더 재미있는 곳이 있다고 하길래 따라왔어요."

② "저는 오기 싫다는데 여우와 고양이가 저를 억지로 끌고 왔어요."

2 글에서 일이 일어난 순서대로 ☐ 안에 숫자를 쓰세요.

☐ 고래는 연기 때문에 코가 간질간질해서 재채기를 했어요.

☐ 제페토 할아버지가 고래 배 속에 불을 피워 연기가 나게 했어요.

☐ 고래의 재채기 덕분에 할아버지와 피노키오가 고래 배 속에서 나왔어요.

3 빈칸에 들어갈 말을 글에서 찾아 쓰세요.

말썽만 부리던 피노키오는 그동안의 잘못을 뉘우치고 착하게 살기로 했어요.

피노키오가 ☐☐☐☐ 하자 나무 인형 피노키오는 진짜 사람이 되었어요.

39

4 다음 낱말의 알맞은 뜻을 찾아 선으로 이으세요.

(1) 억지로 •

(2) 다행히 •

• ① 뜻밖에 운이 좋게.

• ② 당연한 원리나 조건에 맞지 않게 강제로.

5 빈칸에 들어갈 낱말을 보기 에서 찾아 쓰세요.

보기	구하다	나오다	삼키다	피우다

(1) 그물에 걸린 사자를

↳ 어렵거나 위험한 상황에서 벗어나게 하다.

(2) 고기를 구우려고 숯으로 불을

↳ 불을 일으켜 타게 하다.

6 '개과천선'에 어울리는 이야기를 고르세요. (   )

① 한국이는 줄넘기를 잘하지 못해서 열심히 연습했어요. 하지만 혼자서 연습을 하니 심심해서 함께 연습할 친구들을 모았어요.

② 현우는 친구들을 자주 놀려서 싸우는 일이 많았어요. 하지만 엄마와 친구들을 놀리지 않겠다는 약속을 하고 친구들과 사이좋게 지냈어요.

7 다음 문장에 들어갈 바른 낱말에 ○표 하세요.

(1) {재채기 / 제채기}를 할 때는 입을 가려야 해요.

(2) {말썽장이 / 말썽쟁이} 강아지가 내 신발을 물어뜯었어요.

8 밑줄 친 낱말을 바르게 고쳐 쓰세요.

(1)
> 고무줄을 당겼더니 쭉 기러졌어요.

→ ☐☐☐☐☐

(2)
> 모닥불을 피었어요.

→ ☐☐☐☐

9 들려주는 말을 잘 듣고 띄어쓰기에 유의하여 받아쓰세요.

(1) ☐☐☐☐ ∨ ☐ ∨ ☐☐☐☐ .

(2) ☐☐ ∨ ☐ ∨ ☐ ∨ ☐☐☐ .

(3) ☐☐ ∨ ☐☐ ∨ ☐☐ . ☐☐

QR코드를 찍어
낱말 게임을
해 보세요.

2단계 08 낱말 게임

맞은 개수 _____ /9개

41

스스로
붙임딱지

봄철 날씨의 특징

2단계 09 지문 듣기

아는 어휘에 ✔ 표시를 해 보고, 어휘의 뜻을 생각하며 글을 읽어 보세요.

☐ 황사 ☐ 터뜨리다 ☐ 꽃가루 ☐ 시샘하다 ☐ 꽃샘추위 ☐ 변덕쟁이

😊 공부한 날

월 일

❶ 황사: 중국 대륙의 가는 모래가 강한 바람으로 인해 날아올랐다가 내려오는 현상.

❷ 꽃망울: 아직 피지 않은 어린 꽃봉오리.

❸ 터뜨리고: 식물이 꽃망울을 벌려 꽃을 피우고.

❹ 꽃가루: 꽃의 수술에 있는 가루.

❺ 시샘하는: 자기보다 더 잘되거나 나은 사람을 이유 없이 미워하고 싫어하는.

❻ 꽃샘추위: 이른 봄, 꽃이 필 무렵의 추위.

❼ 변덕쟁이: 말이나 행동, 감정이 이랬다저랬다 자주 변하는 사람.

"오늘은 멀리 있는 산이 잘 보이지 않네."

엄마가 창밖을 보시며 말씀하셨어요. 하늘이도 밖을 내다보았어요.

"정말 안 보이네. 하늘도 뿌옇고요. 왜 그런 거예요?"

하늘이가 엄마께 여쭤 보았어요.

"오늘은 ❶황사가 있는 날이거든. 봄에는 중국 대륙에서 가는 모래가 강한 바람과 함께 우리나라에 날아오는데, 이것을 황사라고 한단다. 황사가 심할 때에는 밖에 나가지 않는 것이 좋아."

하늘이는 밖에 나가 놀고 싶었지만 엄마 말씀을 듣고 집에 있기로 했어요.

다음 날 엄마와 하늘이는 집 근처 공원을 산책했어요. 공원에는 예쁜 꽃들이 ❷꽃망울을 ❸터뜨리고 있었어요. 하얀 ❹꽃가루도 날아다녔어요. 하늘이는 갑자기 눈이 간지러워서 손으로 눈을 비비려고 했어요.

"꽃가루가 눈에 들어갈 수 있으니 손으로 눈을 비비면 안 돼."

갑자기 차가운 바람이 불었어요.

"하늘아, 엄마가 겉옷 가져왔어. 얼른 입자."

"봄인데 갑자기 추워지다니 날씨가 이상해요."

"꽃이 피는 것을 ❺시샘하는 추위를 ❻꽃샘추위라고 해. 꽃샘추위가 오면 따뜻했다가도 갑자기 추워진단다."

"봄 날씨는 ❼변덕쟁이인가 봐요."

하늘이의 말에 엄마는 미소를 지으셨어요.

1 다음 문장이 글의 내용에 맞으면 ○표, 맞지 않으면 ×표 하세요.

(1) 엄마와 하늘이는 황사가 있는 날 공원 산책을 갔어요. ☐

(2) 꽃가루가 날아다니자, 엄마는 하늘이에게 눈을 비비지 말라고 하셨어요. ☐

(3) 하늘이와 엄마가 공원을 산책하는데 갑자기 날씨가 추워졌어요. ☐

2 빈칸에 들어갈 낱말을 글에서 찾아 쓰세요.

봄에는 날씨가 따뜻했다가 갑자기 추워지기도 해요.
그래서 겉옷을 들고 다녀야 한대요.
봄 날씨는 정말 ☐☐☐☐ 인가 봐요.

3 봄 날씨의 특징을 나타내는 말을 글에서 찾아 빈칸에 쓰세요.

(1) 봄에는 ☐☐ 가 날아와서 하늘을 뿌옇게 만들어요.

(2) 봄에는 꽃들이 피어 ☐☐☐ 가 날아다녀요.

(3) 봄에는 날씨가 따뜻했다가 갑자기 추워지기도 해요. 이런 날씨를 '꽃이 피는 것을

시샘하는 추위'라는 뜻의 ☐☐☐☐☐ 라고 불러요.

4 다음 낱말의 알맞은 뜻을 찾아 선으로 이으세요.

(1) 황사 •

(2) 꽃가루 •

(3) 변덕쟁이 •

• ① 꽃에 있는 꽃이 씨를 맺게 하는 가루.

• ② 말이나 행동, 감정이 자주 변하는 사람.

• ③ 중국의 모래가 강한 바람으로 우리나라에 날아오는 현상.

5 빈칸에 들어갈 낱말을 보기 에서 찾아 쓰세요.

보기   터뜨렸다   시샘했다

(1) 팥쥐는 예쁘고 착한 콩쥐를 .
↳ 자기보다 나은 사람을 이유없이 미워하고 싫어했다.

(2) 목련 나무가 꽃망울을 .
↳ 식물이 꽃망울을 벌려 꽃을 피웠다.

6 빈칸에 들어갈 낱말을 고르세요. (   )

어제는 날씨가 따뜻했지만 오늘 아침은 _____가 찾아와 춥겠습니다.

① 황사   ② 꽃가루   ③ 꽃샘추위

7 다음 문장에 들어갈 바른 낱말에 ○표 하세요.

(1) 왜 그런 { 거에요 / 거예요 } ?

(2) { 밖에 / 바께 } 나가 놀고 싶었어요.

(3) 운동장을 뛰었더니 { 갑자기 / 갑짜기 } 배가 고팠어요.

8 밑줄 친 낱말을 바르게 고쳐 쓰세요.

(1)

나비가 이쪽으로 <u>나라와요</u>.

➡ ☐ ☐ ☐ ☐

(2)

<u>차거운</u> 물을 마셨어요.

➡ ☐ ☐ ☐

2단계 09 받아쓰기

9 들려주는 말을 잘 듣고 띄어쓰기에 유의하여 받아쓰세요.

(1)

(2)

(3)

한자 어휘
수족(手足)

手(수)는 '손', '방법', '재주' 등을 뜻해요.

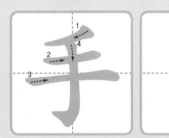
→ 手

다섯 손가락을 편 손의 모습에서 만들어진 글자예요.

手
손 수

手(수)가 들어간 다음 어휘 중에서 아는 것에 ✔ 표시를 해 보세요.

☐ 수제   ☐ 수단   ☐ 선수

수	제
손 手	지을 製

뜻 손으로 만듦. 손으로 만든 물건.
예 진호는 엄마와 만든 수제 쿠키를 친구에게 선물했어요.

수	단
손 手	층계 段

뜻 어떤 목적을 이루기 위한 방법. 또는 그런 도구.
예 스마트폰은 여러 기능을 가진 통신 수단이에요.

선	수
가릴 選	손 手

뜻 스포츠를 직업으로 하는 사람.
예 우리 아빠는 예전에 배드민턴 선수였어요.

'수족'은 손과 발을 뜻해요.

● 足(족)은 '발', '넉넉함' 등을 뜻해요.

무릎 아래부터 발가락까지의 모습에서 만들어진 글자예요.

足
발 족

足(족)이 들어간 다음 어휘 중에서 아는 것에 ✓ 표시를 해 보세요.

☐ 만족   ☐ 부족   ☐ 족적

만 | 족
찰 滿 | 발 足

(뜻) 넉넉하여 마음에 듦.
(예) 예나는 글씨가 예쁘게 써져서 매우 만족했어요.

부 | 족
아니 不 | 발 足

(뜻) 필요한 양이나 기준에 모자라거나 넉넉하지 않음.
(예) 잠이 부족하면 살이 찌기 쉬워요.

족 | 적
발 足 | (발)자취 跡

(뜻) 발로 밟고 지나갈 때 남는 흔적.
(예) 탐정은 범인의 족적을 찾았어요.

1 다음 한자에 알맞은 음과 뜻을 선으로 이으세요.

(1) 手 •
(2) 足 •

•① 수 •
•② 족 •

•㉮ 발
•㉯ 손

2 다음 낱말의 알맞은 뜻을 찾아 선으로 이으세요.

(1) 만족 •
(2) 수제 •
(3) 족적 •

•① 넉넉하여 마음에 듦.
•② 발로 밟고 지나갈 때 남는 흔적.
•③ 손으로 만듦. 손으로 만든 물건.

3 빈칸에 들어갈 낱말을 보기 에서 찾아 쓰세요.

| 보기 | 수단 | 부족 | 선수 |

(1) 말과 글은 다른 사람에게 우리의 뜻을 전하는 ☐☐이에요.
  ↳ 목적을 이루기 위한 도구.

(2) 민준이는 축구를 좋아해서 축구 ☐☐가 되는 것이 꿈이에요.
  ↳ 스포츠를 직업을 하는 사람.

(3) 찰흙이 ☐☐해서 공룡의 꼬리를 짧게 만들었어요.
  ↳ 필요한 양에 모자름.

48

4 다음 빈칸에 '수(手)'와 '족(足)' 가운데에서 알맞은 글자를 쓰세요.

손이나 얼굴을 씻음.

손에 들고 다니는 작은 공책.

(1) 아침에 **세** ☐ 를 합니다.

(2) 문구점에서 ☐ **첩** 을 샀어요.

手 **수** **족** 足

(3) 아저씨들이 ☐ **구** 를 해요.

(4) 식탁에 음식이 **풍** ☐ 해요.

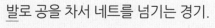

발로 공을 차서 네트를 넘기는 경기.

매우 넉넉하여 모자름이 없음.

QR코드를 찍어
낱말 게임을
해 보세요.

2단계 10 낱말 게임

맞은 개수 _____ /4개

49

스스로
붙임딱지

정답과 해설 7쪽

다음 뜻에 알맞은 낱말을 퍼즐판에서 찾고 빈칸에 쓰세요.

으	꽃	가	루	🐰
스	샘	수	제	🐰
대	추	만	🐰	피
다	위	족	🐰	우
🐰	정	직	하	다

(1) 【으】【 】【 】【 】 : 보기에 좋지 않게 우쭐거리며 뽐내다.

(2) 【 】【직】【 】【 】 : 마음에 거짓이나 꾸밈이 없고 바르고 곧다.

(3) 【피】【 】【 】 : 불을 일으켜 타게 하다.

(4) 【꽃】【 】【 】 : 꽃의 수술에 있는 가루.

(5) 【 】【샘】【 】【 】 : 이른 봄, 꽃이 필 무렵의 추위.

(6) 【수】【 】 : 손으로 만듦. 손으로 만든 물건.

(7) 【 】【족】 : 넉넉하여 맘에 듦.

알고 있는 어휘는
글에서 어떻게 쓰였는지 확인하고,
모르는 어휘는 글을 읽으며
재미있게 익혀 보아요!

3주 어휘 미리보기

뜻을 알고 있는 어휘에 ✓ 표 해 보세요.

	배울 내용	배울 어휘	공부한 날
Day 11	속담 소 잃고 외양간 고친다	☐ 일쑤 ☐ 못마땅하다 ☐ 허물어지다 ☐ 건성 ☐ 늑장	월 일
Day 12	관용어 손발이 맞다	☐ 형편 ☐ 켤레 ☐ 꿰매다 ☐ 윤 ☐ 금세	월 일
Day 13	한자 성어 백발백중(百發百中)	☐ 쪼개다 ☐ 소용없다 ☐ 질투하다 ☐ 부리나케 ☐ 달아나다	월 일
Day 14	교과 어휘 가족 구성원의 역할 분담	☐ 분리수거 ☐ 대견하다 ☐ 속이 깊다 ☐ 분담하다 ☐ 역할	월 일
Day 15	한자 어휘 생활(生活)	☐ 생명 ☐ 고생 ☐ 발생 ☐ 활동 ☐ 활약 ☐ 활용	월 일

속담
소 잃고 외양간 고친다

2단계 11 지문 듣기

아는 어휘에 ✔ 표시를 해 보고, 어휘의 뜻을 생각하며 글을 읽어 보세요.

☐ 일쑤 ☐ 못마땅하다 ☐ 허물어지다 ☐ 건성 ☐ 늑장

 공부한 날

월   일

❶ **일쑤**: 흔히 그러는 일.

❷ **못마땅했어요**: 별로 마음에 들지 않아요.

❸ **허물어져**: 쌓이거나 지어져 있는 것이 무너져.

❹ **건성**: 정성을 들이지 않고 성의 없이 대충하는 것.

❺ **온데간데없었어요**: 흔적도 없이 사라져서 찾을 수가 없었어요.

❻ **후다닥**: 갑자기 빠르게 뛰거나 몸을 움직이는 모양.

❼ **소 잃고 외양간 고친다**: 일이 이미 잘못된 뒤에는 손을 써도 소용이 없다.

❽ **늑장**: 느릿느릿하고 꾸물거리는 태도.

어느 농부 부부가 소를 키우며 살고 있었어요. 농부는 게을러 모든 일을 미루기 ❶**일쑤**였어요. 아내는 그런 농부가 항상 ❷**못마땅했어요**.

하루는 아내가 소에게 먹이를 주러 외양간에 갔는데 외양간 한구석이 ❸**허물어져** 있었어요. 아내는 농부에게 달려가 말했어요.

"여보, 외양간이 허물어졌어요. 얼른 고쳐야겠어요."

"나중에 고칠게요. 급하지 않잖아요. 나는 피곤해서 조금 더 자야겠어요."

농부는 낮잠을 자다 깨서 계속 하품을 하며 ❹**건성**으로 대답했어요. 아내는 일을 또 미루는 농부를 보고 한숨을 푹 쉬었어요. 농부는 낮잠에서 깬 뒤에도 집 안을 어슬렁거리고 다니며 아무 일도 하지 않았어요. 아내는 소가 달아날까 봐 걱정이 되었지만 어쩔 수 없었어요.

다음 날 아침, 아내가 외양간에 갔는데 소가 ❺**온데간데없었어요**. 아내는 ❻**후다닥** 농부에게 달려가 이 사실을 알렸어요. 깜짝 놀란 농부는 그제야 외양간으로 달려가 허물어진 곳을 고치기 시작했어요. 아내는 화가 났어요.

"❼'**소 잃고 외양간 고친다**'더니. 소는 이미 달아났어요. 소가 없는데 외양간을 고치는 것이 무슨 소용이 있어요!"

농부는 아내의 말을 듣지 않고 ❽**늑장**을 부린 것을 후회했어요.

1 글에서 알 수 있는 농부의 성격으로 알맞은 것을 고르세요. (   )

① 게으르다　　　　　② 슬기롭다　　　　　③ 부지런하다

2 농부가 후회한 까닭을 고르세요. (   )

① 피곤하다고 낮잠을 너무 오래 잤기 때문에

② 소에게 먹이 주는 일을 아내에게 시켰기 때문에

③ 아내의 말을 듣지 않고 외양간 고치는 일을 미루었기 때문에

3 빈칸에 들어갈 말을 글에서 찾아 쓰세요.

> 농부는 외양간 고치는 일을 미루었다가 소를 잃고 말았어요. 농부가 뒤늦게 외양간을 고치기 시작했지만, 아내는 소가 이미 달아났는데 외양간을 고치는 것이 무슨 소용이 있냐며 화를 냈어요. 이렇게 일이 잘못된 뒤에는 손을 써도 소용이 없다는 뜻의 속담은 '□□□ 외양간 고친다'예요.

4 다음 뜻에 알맞은 낱말을 보기 에서 찾아 빈칸에 쓰세요.

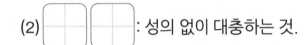

> 보기   늑장   일쑤   건성

(1) ☐☐ : 흔히 그러는 일.

(2) ☐☐ : 성의 없이 대충하는 것.

(3) ☐☐ : 느릿느릿하고 꾸물거리는 태도.

5 밑줄 친 낱말이 문장에 어울리면 ○표, 어울리지 않으면 ×표 하세요.

(1) 태풍 때문에 담장이 허물어졌어요.   ☐
          ↳ 쌓이거나 지어져 있는 것이 헐려서 무너졌어요.

(2) 엄마는 내가 음식을 골고루 먹는 것이 못마땅했어요.   ☐
          ↳ 별로 마음에 들지 않았어요.

6 다음 상황에 알맞은 속담을 고르세요. (   )

① 티끌 모아 태산   ② 공든 탑이 무너지랴   ③ 소 잃고 외양간 고친다

7 다음 문장에 들어갈 바른 낱말에 ○표 하세요.

(1) 나는 무서운 꿈을 꾸어서 자다가 { 깼어요 / 껬어요 }.

(2) 가방에 넣어두었던 색연필이 { 온대간대없었어요 / 온데간데없었어요 }.

8 밑줄 친 낱말을 바르게 고쳐 쓰세요.

(1)
| 그파지 않으니 내일 할게요. |

→ ☐ ☐ ☐

(2)
| 언니는 속상해서 한숨을 쉬웠어요. |

→ ☐ ☐ ☐ ☐

2단계 11 받아쓰기

9 들려주는 말을 잘 듣고 띄어쓰기에 유의하여 받아쓰세요.

(1) | | | | ∨ | | | | | | | . | |

(2) | | | ∨ | | | ∨ | | | | |

(3) | | | ∨ | | ∨ | | | | |

관용어

손발이 맞다

2단계 12 지문 듣기

아는 어휘에 ✔ 표시를 해 보고, 어휘의 뜻을 생각하며 글을 읽어 보세요.

☐ 형편　☐ 켤레　☐ 꿰매다　☐ 윤　☐ 금세

공부한 날

월　　일

❶ **형편**: 살림살이의 상태나 처지.

❷ **켤레**: 신발, 양말 등 두 짝을 한 세트로 세는 단위.

❸ **꿰매고**: 벌어진 데를 바느질하여 잇고.

❹ **윤**: 반들거리고 매끄러운 것의 겉 부분에서 나는 빛.

❺ **손발이 착착 맞아서**: 함께 일을 할 때, 마음이나 행동 방식 등이 서로 맞아서.

❻ **금세**: 시간이 얼마 지나지 않아서.

　어느 마을에 가난한 구둣방 할아버지가 살았어요. 할아버지는 매일 열심히 구두를 만들었지만, ❶**형편**이 좀처럼 나아지지 않았어요. 더 이상 가죽을 살 돈이 없었던 할아버지는 다음 날 마지막 구두를 만들 가죽을 준비해 두고 잠자리에 들었어요.

　다음 날 아침, 할아버지는 깜짝 놀랐어요. 전날 밤 준비해 둔 가죽이 멋진 구두가 되어 있었기 때문이에요.

　"오! 누가 이렇게 멋진 구두를 만들어 놓았을까? 솜씨가 정말 훌륭해!"

　구두는 곧 팔렸고, 할아버지는 구두를 판 돈으로 가죽을 샀어요. 그리고 그날 밤에도 가죽을 준비해 두고 잠자리에 들었어요.

　이튿날 아침, 할아버지는 또 깜짝 놀랐어요. 이번에는 구두가 두 ❷**켤레**나 놓여 있었어요. 구두 두 켤레는 곧 비싼 값에 팔렸어요. 할아버지는 구두를 판 돈으로 가죽을 더 많이 샀지요.

　다음 날에도, 그다음 날에도 계속 구두가 놓여 있었어요. 할아버지는 누가 구두를 만들어 놓는 것인지 궁금해서 몰래 숨어서 지켜보기로 했어요. 모두가 잠든 밤이 되자, 요정들이 요리조리 가죽을 ❸**꿰매고**, 굽에 못을 탁탁 박고, 반짝반짝 ❹**윤**을 낸 구두를 만들었어요. 요정들은 ❺**손발이 착착 맞아서** ❻**금세** 구두 한 켤레를 완성했어요. 이 모습을 숨어서 지켜보던 할아버지는 고마워서 눈물을 흘렸어요.

1 아침마다 할아버지가 깜짝 놀란 까닭을 고르세요. (   )

① 준비해 둔 가죽이 찢겨 있어서

② 준비해 둔 가죽이 구두가 되어 있어서

③ 아침부터 구두를 사러 온 손님들이 줄을 서 있어서

2 요정들의 모습을 보고, 빈칸에 들어갈 낱말을 글에서 찾아 쓰세요.

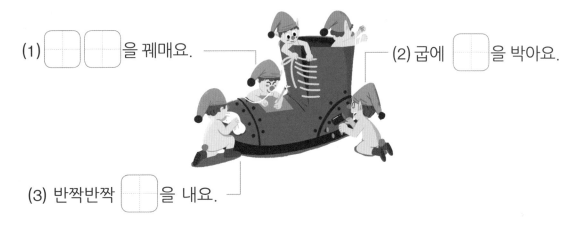

(1) ☐☐ 을 꿰매요.

(2) 굽에 ☐ 을 박아요.

(3) 반짝반짝 ☐ 을 내요.

3 빈칸에 들어갈 낱말을 글에서 찾아 쓰세요.

> 모두가 잠든 밤이 되자, 요정들이 할아버지의 구둣방에서 구두를 만들었어
>
> 요. 요정들은 ☐☐ 이 착착 맞아서 금세 구두 한 켤레를 완성했어요.

4 다음 낱말의 알맞은 뜻을 찾아 선으로 이으세요.

(1) 윤 •

(2) 켤레 •

(3) 형편 •

• ① 살림살이의 상태나 처지.

• ② 매끄러운 것의 겉 부분에서 나는 빛.

• ③ 신발, 양말 등 두 짝을 한 세트로 세는 단위.

5 밑줄 친 낱말의 뜻으로 알맞은 것을 고르세요.

(1) 가방이 찢어져서 <u>꿰맸다</u>. (   )

  ① 본드로 붙였다   ② 바느질로 이었다

(2) 약을 먹자 아팠던 배가 <u>금세</u> 나았다. (   )

  ① 말끔하게   ② 시간이 얼마 지나지 않아서

6 다음 대화를 읽고, 빈칸에 들어갈 말을 고르세요. (   )

> **준서**: 오늘은 우리 모둠이 교실을 청소하는 날이야. 내가 교실 바닥을 쓸게.
>
> **혜윤**: 그럼 내가 책상 위를 닦을게.
>
> **태린**: 칠판 정리는 내가 할게.
>
> **준서**: 그래. 우리 모둠은 정말 ⬚⬚⬚⬚⬚⬚⬚. 청소가 금방 끝나겠어.

① 발이 넓다   ② 손이 빠르다   ③ 손발이 잘 맞는다

7 다음 문장에 들어갈 바른 낱말에 ○표 하세요.

(1) $\left\{\begin{array}{l}곳 \\ 곧\end{array}\right\}$ 새로운 경기가 시작될 거예요.

(2) 즐거운 노래를 들었는데도 내 기분이 $\left\{\begin{array}{l}낮지 \\ 나아지지\end{array}\right\}$ 않아요.

8 틀린 글자가 있는 낱말을 찾아 번호를 쓰고 바르게 고쳐 쓰세요.

(1) 우리 할머니 ① 요리 ② 솜시는 정말 ③ 좋아요.

[　] → [　　　　　]

(2) 이 과자는 ① 갑도 ② 싸고 ③ 맛이 있어요.

[　] → [　　　　　]

(3) 아빠가 ① 찢어진 ② 텐트를 ③ 꿰멨어요.

[　] → [　　　　　]

2단계 12 받아쓰기

9 들려주는 말을 잘 듣고 띄어쓰기에 유의하여 받아쓰세요.

(1)

(2)

(3)

QR코드를 찍어
낱말 게임을
해 보세요.

2단계 12 낱말 게임

맞은 개수 _____ /9개

스스로
붙임딱지

한자 성어

백발백중(百 일백 백 發 필 발 百 일백 백 中 가운데 중)

2단계 13 지문 듣기

아는 어휘에 ✔ 표시를 해 보고, 어휘의 뜻을 생각하며 글을 읽어 보세요.

☐ 쪼개다 ☐ 소용없다 ☐ 질투하다 ☐ 부리나케 ☐ 달아나다

공부한 날

월   일

❶ **쪼개려고도**: 둘 이상으로 나누려고도.

❷ **소용없었어요**: 아무런 쓸 모나 득이 될 것이 없었어요.

❸ **무럭무럭**: 아무런 문제 없 이 힘차게 잘 자라는 모양.

❹ **백발백중**: 백 번 쏘아 백 번 맞힌다는 뜻으로, 총이 나 활 등을 쏠 때마다 원하 는 곳에 다 맞음.

❺ **질투했어요**: 다른 사람이 잘되거나 좋은 처지에 있 는 것을 괜히 미워하고 싫 어했어요.

❻ **부리나케**: 서둘러서 아주 급하게.

❼ **달아났어요**: 어떠한 곳을 벗어나 도망갔어요.

❽ **일행**: 함께 길을 가는 사람 들의 무리.

동부여의 금와왕은 강가를 지나다가 울고 있는 유화를 보았어요. 유화는 물의 신 하백의 딸이었어요. 유화가 하늘나라 임금님의 아들 해모수와 사 랑에 빠지자, 화가 난 하백이 유화를 내쫓았던 것이었어요. 금와왕은 유화 를 불쌍히 여겨 궁궐로 데려갔어요.

얼마 뒤 유화는 사람이 아닌 알을 낳았어요. 금와왕은 사람이 알을 낳은 것이 이상해서 알을 버리게 했어요. 그러자 동물들이 알을 보호했어요. 금 와왕은 알을 ❶**쪼개려고도** 했지만 아무 ❷**소용없었어요**. 결국 금와왕은 유 화에게 알을 돌려 주었고, 알에서 남자아이가 태어났어요.

아이는 ❸**무럭무럭** 자랐고, 스스로 활과 화살을 만들어 사냥을 했어요. 아이의 활 솜씨가 얼마나 뛰어난지 활을 쏘기만 하면 ❹**백발백중**이었어요. 그래서 사람들은 아이 를 주몽이라고 불렀어요. 주몽은 활을 잘 쏘는 사람을 뜻하거든요.

금와왕의 첫째 아들인 대소 왕자는 사냥 을 잘하는 주몽을 ❺**질투했어요**. 대소 왕자 는 주몽이 동부여의 왕이 될 것이라고 생 각했고, 주몽을 없앨 계획을 세웠어요. 이 사실을 알게 된 주몽은 친구들과 함께 ❻**부리나케** ❼**달아났어요**. 주몽 ❽**일행**은 대소 왕자에게 쫓겨 큰 강까 지 왔어요.

'저는 해모수의 아들이자, 하백의 외손자입니다. 강을 건너게 해 주세요.'

주몽이 기도하자, 물속에서 물고기와 자라가 떠올라 다리를 만들어 주었 어요. 무사히 강을 건넌 주몽은 남쪽으로 더 내려가서 고구려라는 나라를 세웠어요.

내용 이해하기

1 이야기의 순서대로 ☐ 안에 숫자를 쓰세요.

☐ 주몽이 태어나 무럭무럭 자랐어요.

☐ 주몽이 대소 왕자를 피해 달아났어요.

☐ 금와왕이 유화를 궁궐에서 지내게 했어요.

☐ 주몽이 남쪽으로 내려가서 나라를 세웠어요.

3주차
Day
13

정답과 해설 8쪽

2 빈칸에 들어갈 말을 글에서 찾아 쓰세요.

여보게,
주몽 이야기 들었나?

활을 쏘기만 하면 다 맞힌다니,
☐☐☐☐일세.

3 주몽이 세운 나라의 이름을 글에서 찾아 쓰세요.

61

4 다음 낱말의 알맞은 뜻을 찾아 선으로 이으세요.

(1) 쪼개다 •

(2) 소용없다 •

(3) 달아나다 •

• ① 둘 이상으로 나누다.

• ② 어떠한 곳을 벗어나 도망가다.

• ③ 아무런 쓸모나 득이 될 것이 없다.

5 밑줄 친 낱말과 바꾸어 쓸 수 있는 것을 고르세요.

(1) 새 왕비는 아름다운 백설공주를 질투했어요. (   )

　① 도왔어요　　　　　② 시샘했어요　　　　　③ 좋아했어요

(2) 학교가 끝나자마자 부리나케 집으로 갔어요. (   )

　① 천천히　　　　　② 시끄럽게　　　　　③ 서둘러서

6 다음 빈칸에 들어갈 말을 쓰세요.

그 선수는 활 솜씨가 뛰어나서 쏘기만 하면

◯◯◯◯이에요.

7 다음 문장에 들어갈 바른 낱말에 ○표 하세요.

(1) 우리집 물고기가 새끼를 { 나았어요 / 낳았어요 } .

(2) 선우는 노래 실력이 { 띄어난 / 뛰어난 } 친구예요.

8 밑줄 친 낱말을 바르게 고쳐 쓰세요.

(1) 유나는 방학 <u>게획</u>을 세웠어요.

→ ⬜⬜

(2) 토마토 새싹이 <u>무렁무럭</u> 자랐어요.

→ ⬜⬜⬜⬜

2단계 13 받아쓰기

9 들려주는 말을 잘 듣고 띄어쓰기에 유의하여 받아쓰세요.

(1) ⬜⬜∨⬜∨⬜⬜∨⬜⬜⬜⬜⬜

(2) ⬜⬜⬜∨⬜⬜⬜⬜⬜⬜.⬜

(3) ⬜⬜∨⬜∨⬜⬜∨⬜⬜⬜.⬜

QR코드를 찍어
낱말 게임을
해 보세요.

2단계 13 낱말 게임

맞은 개수 _____ /9개

스스로
붙임딱지

교과 어휘

가족 구성원의 역할 분담

2단계 14 지문 듣기

아는 어휘에 ✔ 표시를 해 보고, 어휘의 뜻을 생각하며 글을 읽어 보세요.

☐ 분리수거 ☐ 대견하다 ☐ 속이 깊다 ☐ 분담하다 ☐ 역할

🕐 공부한 날

월   일

❶ **단짝**: 아주 친해서 항상 함께 다니는 사이. 또는 그런 친구.

❷ **분리수거**: 쓰레기를 종류별로 따로 모아서 거두어 감.

❸ **대견하구나**: 마음에 들고 자랑스럽구나.

❹ **속이 깊은걸**: 신중하고 이해심이 많은걸.

❺ **분담하게**: 일이나 책임 등을 나누어 맡게.

❻ **역할**: 맡은 일, 또는 해야 하는 일.

❼ **구성원**: 어떤 조직이나 단체를 이루고 있는 사람들.

지연이는 엄마와 시장에 가는 길에 ❶**단짝** 친구인 소이를 만났어요. 소이는 ❷**분리수거** 바구니를 들고 있었어요.

"소이야, 네가 쓰레기 분리수거를 직접 하러 가는 거야?"

지연이가 깜짝 놀라며 물었어요.

"응, 재활용 쓰레기 버리기는 내 담당이거든."

"소이가 참 ❸**대견하구나**. 집안일을 도와주다니."

엄마께서는 소이를 보고 미소 지으며 말씀하셨어요.

지연이는 분리수거를 하던 소이의 모습이 자꾸 떠올랐어요. 그리고 집안일 대부분을 엄마가 하고 계신 것을 깨닫고 엄마께 죄송하고 부끄러운 마음이 들었어요.

그날 저녁 식사 시간에 지연이가 말했어요.

"우리 가족도 집안일을 나눠서 해요. 어떻게 나누면 좋을까요?"

"우리 지연이가 ❹**속이 깊은걸**? 그럼 네가 밥 먹고 식탁 치우기와 빨래 개기 같은 간단한 일을 할래? 아빠는 설거지와 베란다 청소를 맡을게."

아빠가 말씀하셨어요.

"지연이 덕분에 집안일을 ❺**분담하게** 됐구나. 우리 가족이 다 같이 하면 집안일을 하는 게 더 쉽고 즐거울 것 같아."

엄마가 웃으며 말씀하셨어요.

집안일은 가족 한 사람의 일이 아니라 가족 모두가 ❻**역할**을 나누어 다 같이 해야 하는 일이에요. 지연이네처럼 **가족 ❼구성원들이 역할을 분담**하여 집안일을 같이 할 때 더 행복한 가정이 될 거예요.

1 지연이의 마음으로 알맞은 것을 고르세요. (   )

① 집안일 대부분을 엄마께서 하고 계시다니, 정말 죄송하고 부끄러운걸.

② 집안일은 귀찮고 힘든 일이 많아서 내가 하기에는 어려워.

2 지연이가 할 일에는 '지연', 아빠가 할 일에는 '아빠'를 빈칸에 쓰세요.

(1) 설거지 — [   ]

(2) 빨래 개기 — [   ]

(3) 베란다 청소 — [   ]

(4) 식탁 치우기 — [   ]

3 빈칸에 들어갈 말을 글에서 찾아 쓰세요.

> 앞으로 지연이네 가족은 (1) [ ][ ]을 (2) [ ][ ]하여 집안일을 하기로 했어요.

4 다음 뜻에 알맞은 낱말을 보기 에서 찾아 빈칸에 쓰세요.

> 보기   분담   역할   분리수거

(1) [　　] : 맡은 일. 해야 하는 일.

(2) [　　] : 일이나 책임 등을 나누어 맡음.

(3) [　　] : 쓰레기를 종류별로 따로 모아서 거두어 감.

5 다음 말을 빈칸에 넣을 때 의미가 자연스러운 것을 고르세요.

(1) 대견하다 (　　)

↳ 마음에 들고 자랑스럽다.

① 아무리 연습해도 줄넘기가 잘 되지 않아서 정말 [　　].

② 할머니께 드릴 편지와 선물을 준비하다니 정말 [　　].

(2) 속이 깊다 (　　)

↳ 매우 조심스럽고 이해심이 많다.

① 주희는 어리지만 주변 사람들을 잘 챙기고 [　　].

② 내 동생은 매일 내 것만 탐내고 질투를 많이 해서 [　　].

6 '역할 분담'을 하고 있는 상황을 고르세요. (　　)

① 친구들끼리 시간이 맞지 않아 기철이 혼자 모둠 숙제를 했어요.

② 수연이가 칠판 정리를 하고, 민호가 창틀을 닦고, 민지가 쓰레기통을 비웠어요.

7 다음 문장에 들어갈 바른 낱말에 ○표 하세요.

(1)  { 쓰래기 / 쓰레기 } 좀 버려 줄래?

(2) 아빠, 제가  { 설거지 / 설겆이 } 도와드릴게요.

3주차
Day 14

정답과 해설 9쪽

8 밑줄 친 낱말을 바르게 고쳐 쓰세요.

(1) | 이 책은 <u>십고</u> 재미있어요. |

➡ ☐☐

(2) | 이번 주 청소 <u>당담</u>은 저예요. |

➡ ☐☐

2단계 14 받아쓰기

9 들려주는 말을 잘 듣고 띄어쓰기에 유의하여 받아쓰세요.

(1) | | | | ∨ | | | ∨ | | | | . |

(2) | | | ∨ | | ∨ | | ? | | | |

(3) | | | ∨ | | | ∨ | | ∨ | | |

QR코드를 찍어
낱말 게임을
해 보세요.

2단계 14 낱말 게임

😊 맞은 개수 _____ /9개

67

스스로
붙임딱지

한자 어휘
생활(生活)

● 生(생)은 '나다', '생기다' 등을 뜻해요.

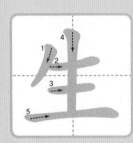 → 生

새싹이 땅 위로 돋아난 모습에서 만들어진 글자예요.

生

날 **생**

生(생)이 들어간 다음 어휘 중에서 아는 것에 ✔ 표시를 하세요.

☐ 생명 ☐ 고생 ☐ 발생

생 명 날 生　목숨 命	뜻 사람, 동물, 식물 등 생물이 살 수 있도록 하는 힘. 예 물은 생명을 이어 나가는 데 중요한 역할을 해요.
고 생 쓸 苦　날 生	뜻 어렵고 힘든 일을 겪음. 또는 그런 일. 예 저는 지난 주말에 감기에 걸려 고생했어요.
발 생 필 發　날 生	뜻 어떤 일이 일어나거나 사물이 생겨남. 예 나무가 숨을 쉴 때마다 산소가 발생해요.

'생활'은 사람이나 동물이 일정한 곳에서 살아가는 것을 말해요.

● 活(활)은 '살다', '생기가 있다' 등을 뜻해요.

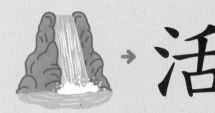

물이 힘차게 흐르거나 솟아나는 모습에서 만들어진 글자예요.

活
살 **활**

活(활)이 들어간 다음 어휘 중에서 아는 것에 ✔ 표시를 하세요.

☐ 활동   ☐ 활약   ☐ 활용

활 동 살 活 움직일 動	뜻 몸을 움직여 행동함. 예 호랑이는 주로 밤에 활동해요.
활 약 살 活 뛸 躍	뜻 활발히 활동함. 예 슈퍼맨의 활약으로 악당들을 물리쳤어요.
활 용 살 活 쓸 用	뜻 쓰임이나 능력을 충분히 잘 이용함. 예 민준이는 우유갑을 활용하여 필통을 만들었어요.

1 다음 뜻과 음에 알맞은 한자를 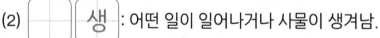 보기 에서 찾아 번호를 쓰세요.

> 보기   ① 手   ② 生   ③ 食   ④ 活

(1) | 날 생 | – [　]

(2) | 살 활 | – [　]

2 다음 뜻에 알맞은 낱말이 되도록 빈칸에 들어갈 글자를 쓰세요.

(1) 활 [　] : 활발히 활동함.

(2) [　] 생 : 어떤 일이 일어나거나 사물이 생겨남.

(3) 활 [　] : 쓰임이나 능력을 충분히 잘 이용함.

3 빈칸에 들어갈 낱말을 보기 에서 찾아 쓰세요.

> 보기   활동   생명   고생

(1) 너무 덥거나 추울 때는 밖에서 [　][　] 하는 것을 줄여야 해요.
↳ 몸을 움직여 행동함.

(2) 준호는 아이스크림을 많이 먹고 배탈이 나서 [　][　] 했어요.
↳ 어렵고 힘든 일을 겪음.

(3) [　][　] 을 구하기 위해 구급 대원들이 도착했어요.
↳ 생물이 살 수 있도록 하는 힘.

4 다음 빈칸에 '생(生)'과 '활(活)' 가운데에서 알맞은 글자를 쓰세요.

세상에 태어난 날.

(1) 내일은 내 동생 ☐ 일 이에요.

사람이 태어남.

(2) 크리스마스는 예수가

탄 ☐ 한 날이에요.

生 생 활 活

(3) 설날 아침, 우리 집에 ☐ 기 가

넘쳐요.

힘차고 활발한 기운.

(4) 지나는 쾌 ☐ 해서

친구들이 좋아해요.

명랑하고 활발하다.

QR코드를 찍어
낱말 게임을
해 보세요.

2단계 15 낱말 게임

 맞은 개수 _____ /4개

71

스스로
붙임딱지

다음 뜻에 알맞은 낱말을 퍼즐판에서 찾고 빈칸에 쓰세요.

(1) 건 ☐ : 정성을 들이지 않고 성의 없이 대충하는 것.

(2) ☐ 편 : 살림살이의 상태나 처지.

(3) 금 ☐ : 시간이 얼마 지나지 않아서.

(4) ☐ ☐ ☐ 케 : 서둘러서 아주 급하게.

(5) ☐ 할 : 맡은 일, 또는 해야 하는 일.

(6) 생 ☐ : 사람, 동물, 식물 등 생물이 살 수 있도록 하는 힘.

(7) 활 ☐ : 활발히 활동함.

알고 있는 어휘는
글에서 어떻게 쓰였는지 확인하고,
모르는 어휘는 글을 읽으며
재미있게 익혀 보아요!

4주 어휘 미리보기

뜻을 알고 있는 어휘에 ✓ 표 해 보세요.

	배울 내용	배울 어휘		공부한 날
Day 16	속담 남의 떡이 더 커 보인다	☐ 부럽다 ☐ 인기 ☐ 꾸짖다	☐ 샘 ☐ 조르다	월 일
Day 17	관용어 바람을 넣다	☐ 명령하다 ☐ 우뚝우뚝	☐ 헤매다 ☐ 결심하다	월 일
Day 18	한자 성어 애지중지(愛之重之)	☐ 평생 ☐ 안타깝다	☐ 흡족하다 ☐ 간직하다	월 일
Day 19	교과 어휘 물놀이 안전 수칙	☐ 수칙 ☐ 마치	☐ 한달음 ☐ 착용	월 일
Day 20	한자 어휘 천지(天地)	☐ 천국 ☐ 천연 ☐ 지도	☐ 천성 ☐ 지구 ☐ 지하철	월 일

속담

남의 떡이 더 커 보인다

2단계 16 지문 듣기

아는 어휘에 ✔ 표시를 해 보고, 어휘의 뜻을 생각하며 글을 읽어 보세요.
☐ 부럽다 ☐ 샘 ☐ 인기 ☐ 조르다 ☐ 꾸짖다

🕐 공부한 날

월   일

❶ **부럽고**: 다른 사람의 일이나 물건이 좋아 보여 자기도 그런 일을 이루거나 물건을 갖기를 바라는 마음이 있고.

❷ **샘**: 남의 것을 탐내거나, 자기보다 나은 사람을 부러워하는 일. 또는 그런 마음.

❸ **인기**: 많은 사람들의 높은 관심이나 좋아하는 마음.

❹ **졸랐어요**: 누구에게 무엇을 해 달라고 자꾸 요구했어요.

❺ **꾸짖었어요**: 윗사람이 아랫사람의 잘못을 몹시 나무랐어요.

❻ **남의 떡이 더 커 보인다**: 내 것보다 다른 사람의 것이 더 좋게 느껴진다.

❼ **바람**: 어떤 일이 생각한 대로 이루어지기를 원하는 마음.

햇살이 따뜻한 어느 날, 낙타 한 마리가 주위를 두리번거리다 황소를 발견했어요. 황소는 토끼, 개구리, 돼지, 여우에게 둘러싸여 있었어요. 동물친구들은 황소의 멋진 뿔을 바라보며 칭찬을 아끼지 않았어요.

"황소야, 네 큰 뿔 정말 멋지다!"

"그렇게 큰 뿔을 가지고 있다니 정말 좋겠다. 황소 너는 최고야!"

그 모습을 본 낙타는 황소가 ❶**부럽고** ❷**샘**이 났어요.

'이야! 황소의 뿔이 정말 멋지네. 나도 저런 크고 멋진 뿔이 있으면 좋을 텐데. 그러면 친구들이 나를 좋아하고 부러워하겠지?'

낙타는 황소의 ❸**인기**가 많은 것이 꼭 크고 멋진 뿔 덕분인 것 같았어요.

낙타는 신들의 왕 제우스를 찾아가 ❹**졸랐어요**.

"제우스 신이여, 저는 왜 뿔이 없나요? 저에게도 황소처럼 크고 멋진 뿔을 달아 주세요."

그러자 제우스는 몹시 화를 내며 큰 소리로 ❺**꾸짖었어요**.

"낙타, 이놈! 너에게는 큰 몸과 강한 힘을 주었는데 어찌 남을 샘내고 뿔을 달아 달라 하느냐? ❻**'남의 떡이 더 커 보인다'**더니 너는 정말 욕심이 많구나. 모두에게 각자 필요한 것을 주었음을 어찌 모르느냐!"

제우스는 낙타의 ❼**바람**과 달리 낙타의 귀를 반으로 잘라 버렸어요. 낙타는 작아진 귀를 만지며 엉엉 울었답니다.

1 빈칸에 들어갈 말을 고르세요. (   )

> 낙타는 황소의 인기가 많은 것이 [   ] 덕분인 것 같았어요.

① 좋은 성격   ② 크고 멋진 뿔
③ 큰 몸과 강한 힘   ④ 작고 귀여운 귀

2 낙타가 뿔을 달아 달라고 했을 때 제우스 신이 한 일을 고르세요. (   )

① 낙타에게 뿔을 달아 주었어요.
② 낙타의 몸을 작게 만들었어요.
③ 낙타의 귀를 반으로 잘랐어요.
④ 낙타에게 강한 힘을 주었어요.

3 빈칸에 들어갈 말을 글에서 찾아 쓰세요.

> 낙타는 신들의 왕 제우스를 찾아가 자신에게 뿔을 달아 달라고 졸랐어요. 하지만 제우스는 낙타에게 '[ ][ ][ ]이 더 커 보인다'더니 욕심이 많다고 꾸짖었어요. 그리고 낙타에게 벌을 주었어요.

4 다음 낱말의 알맞은 뜻을 찾아 선으로 이으세요.

(1) 꾸짖다 •

(2) 부럽다 •

(3) 조르다 •

•① 누구에게 무엇을 해 달라고 자꾸 요구하다.

•② 윗사람이 아랫사람의 잘못을 몹시 나무라다.

•③ 다른 사람의 것이 좋아 보여 자기도 그런 것을 갖기를 바라는 마음이 있다.

5 다음 그림을 보고, 빈칸에 들어갈 낱말을 보기 에서 찾아 쓰세요.

진수   민준

보기   샘   인기

(1) 진수는 [   ]가 많아요.
↳ 많은 사람들의 높은 관심이나 좋아하는 마음.

(2) 민준이는 [   ]이 났어요.
↳ 자기보다 나은 사람을 부러워하는 마음.

6 '남의 떡이 더 커 보인다'라는 속담과 어울리는 상황의 친구에 ○표 하세요.

역시 내 로봇이 가장 멋져!

친구의 로봇이 더 좋아 보여.

7 다음 문장에 들어갈 바른 낱말에 ○표 하세요.

(1) 엄마께서 동생과 싸우지 말라고 { 꾸짓으셨어요 / 꾸짖으셨어요 }.

(2) 서연이는 운동장을 { 두리번하다 / 두리번거리다 } 동생을 찾았어요.

4주차
Day 16

정답과 해설 10쪽

8 틀린 글자가 있는 낱말을 <u>두 개</u> 찾아 번호를 쓰고 바르게 고쳐 쓰세요.

> 5월 10일 날씨 맑음
>
> 오늘 짝을 바꾸었다. 이번에는 ① <u>머찐</u> 윤슬이와 짝이 되고 싶었다. 다행히 나의 ② <u>바램대로</u> 윤슬이와 짝이 되었다. 윤슬이도 나와 짝이 되어 기분이 ③ <u>좋아</u> 보였다. 내일부터 학교에 가는 것이 더 ④ <u>즐거워질</u> 것 같다.

(1) ☐ ➜ ☐

(2) ☐ ➜ ☐

2단계 16 받아쓰기

9 들려주는 말을 잘 듣고 띄어쓰기에 유의하여 받아쓰세요.

(1) ☐☐☐∨☐☐☐∨☐☐∨☐☐

(2) ☐☐☐∨☐☐☐☐ .

(3) ☐☐☐☐∨☐☐☐∨☐☐☐∨☐☐

스스로
붙임딱지

관용어

바람을 넣다

아는 어휘에 ✔ 표시를 해 보고, 어휘의 뜻을 생각하며 글을 읽어 보세요.

☐ 명령하다 ☐ 해매다 ☐ 우뚝우뚝 ☐ 결심하다

🕐 공부한 날

월   일

❶ **귀하다는**: 구하거나 얻기가 아주 힘들만큼 흔하지 않다는.

❷ **명령했어요**: 윗사람이 아랫사람에게 무엇을 시키거나 지시했어요.

❸ **헤매었어요**: 이리저리 돌아다녔어요.

❹ **우뚝우뚝**: 두드러지게 높이 솟은 모양.

❺ **향긋한**: 은근히 향기로운.

❻ **바람을 넣었어요**: 남을 부추겨서 무슨 행동을 하려는 마음이 생기게 만들었어요.

❼ **솔깃해서**: 남의 말이나 어떤 일이 좋아 보여 마음이 끌려서.

❽ **결심했어요**: 어떻게 하기로 굳게 마음을 정했어요.

❾ **꾐**: 주로 좋지 않은 일을 하도록 다른 사람을 속이거나 부추기는 것.

옛날, 아주 깊은 바다에 사는 용왕님이 병들었어요. 용왕님은 ❶**귀하다는** 약을 모두 먹어 보았지만 하루가 다르게 병이 깊어지기만 했어요. 그러던 어느 날, 먼 바다에서 병을 잘 고치는 의원이 용왕님의 소식을 듣고 용궁에 찾아왔어요.

"용왕님, 토끼의 간을 드시면 병이 나을 것입니다."

용왕님은 자라에게 당장 토끼를 찾아 데려오라고 ❷**명령했어요**.

토끼를 찾으러 육지로 간 자라는 한참을 ❸**헤매었어요**. 그러다 마침내 풀 숲에서 깡충깡충 뛰어노는 토끼를 만났어요. 자라가 기뻐하며 말했어요.

"네가 토끼구나! 나는 바닷속 용궁에 사는 자라야. 나랑 용궁에 갈래?"

"용궁? 글쎄, 나는 이곳에서 생활하는 것이 편하고 좋은걸."

"바닷속은 산속보다 훨씬 아름답고, 재미있는 일도 많아."

"이곳도 정말 아름다워. 하늘은 푸르고, 산은 ❹**우뚝우뚝** 멋있게 서 있어. 또 들판은 ❺**향긋한** 꽃향기로 가득하지. 동물 친구들도 많아서 늘 즐거운 일이 끊이지 않아."

자라는 포기하지 않고 토끼에게 용궁에 가자고 계속 ❻**바람을 넣었어요**.

"그뿐만이 아니야. 용궁에는 금은보화가 가득하고, 맛있는 음식들도 많아. 용왕님이 너에게 큰 선물도 주실 거야."

토끼는 자라의 말에 ❼**솔깃해서** 용궁에 가 보기로 ❽**결심했어요**. 자라는 토끼가 자신의 ❾**꾐**에 넘어가자 뛸 듯이 기뻤어요. 아무 것도 모르는 토끼는 자라의 등에 타고 용궁으로 갔답니다.

1 다음 빈칸에 들어갈 낱말을 글에서 찾아 쓰세요.

> "용왕님, 토끼의 ☐☐을 드시면 병이 나을 것입니다."

2 자라가 토끼를 용궁으로 데려가려고 한 말이 <u>아닌</u> 것을 고르세요. (　　　)

① 바닷속은 산속보다 훨씬 아름답다.
② 용궁은 향긋한 꽃향기로 가득하다.
③ 용궁에는 금은보화가 가득하다.
④ 용왕님이 큰 선물을 주실 것이다.

3 빈칸에 들어갈 말을 글에서 찾아 쓰세요.

> 자라는 토끼가 용궁에 갈 마음이 생기도록 용궁에 가면 좋은 점을 이야기하며
> ☐☐을 넣었어요. 자라의 말에 솔깃한 토끼는 결국 자라와 함께 용궁으
> 로 갔어요.

4 다음 뜻에 알맞은 낱말을 에서 찾아 빈칸에 쓰세요.

> 보기   결심하다   명령하다   헤매다

(1) [   ] : 이리저리 돌아다니다.

(2) [   ] : 어떻게 하기로 굳게 마음을 정하다.

(3) [   ] : 윗사람이 아랫사람에게 무엇을 시키거나 지시하다.

5 다음 낱말과 그림이 어울리면 ○표, 어울리지 않으면 ×표 하세요.

> 우뚝우뚝

(1)  [ ]

(2) 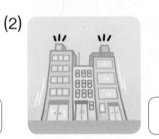 [ ]

(3)  [ ]

6 다음 글을 읽고, 빈칸에 들어갈 말을 고르세요. (   )

> 6월 19일 **날씨** 흐림
>
> 승찬이가 학교를 마치고 승찬이네 가서 함께 놀자고 했다. 나는 숙제가 많아서 안 된다고 말했다. 승찬이는 새로 산 게임기를 가지고 놀자며 나에게 [   ]. 나는 승찬이와 즐겁게 놀았고 숙제도 같이 했다.

① 바람을 뺐다   ② 바람을 불었다   ③ 바람을 넣었다

7 다음 문장에 들어갈 바른 낱말에 ○표 하세요.

(1) 푹 쉬면 감기가 { 나을 / 낳을 } 거예요.

(2) 행복한 웃음 소리가 { 끈이지 / 끊이지 } 않았어요.

(3) 길을 잃어 한참을 { 헤매었어요 / 헤매였어요 }.

8 밑줄 친 낱말을 바르게 고쳐 쓰세요.

(1) 풀숲에 토끼가 숨어 있었어요.

➡ ☐☐

(2) 개미의 생활을 관찰했어요.

➡ ☐☐

2단계 17 받아쓰기

9 들려주는 말을 잘 듣고 띄어쓰기에 유의하여 받아쓰세요.

(1)

(2)

(3)

스스로 붙임딱지

한자 성어

애지중지(愛 사랑 애 之 갈 지 重 무거울 중 之 갈 지)

2단계 18 지문 듣기

아는 어휘에 ✔ 표시를 해 보고, 어휘의 뜻을 생각하며 글을 읽어 보세요.

☐ 평생 ☐ 흡족하다 ☐ 안타깝다 ☐ 간직하다

⏱ 공부한 날

월   일

❶ **구두쇠**: 돈 등을 지나치게 안 쓰고 아끼는 사람.

❷ **평생**: 세상에 태어나서 죽을 때까지의 동안.

❸ **흡족한**: 조금도 모자람이 없을 정도로 넉넉하여 만족하는.

❹ **애지중지**: 매우 사랑하고 소중히 여기는 모양.

❺ **안타까운**: 뜻대로 되지 않거나 보기에 불쌍해서 가슴이 아프고 답답한.

❻ **간직하려고**: 물건을 어떤 장소에 잘 보호하거나 보관하려고.

어느 마을에 ❶**구두쇠**가 살았어요. 구두쇠는 ❷**평생** 모은 돈으로 큰 금덩이를 하나 사서 텃밭 깊숙이 묻어 두었어요. 그는 매일 텃밭에 나가 금덩이를 묻어 둔 곳을 ❸**흡족한** 표정으로 바라보았어요. 구두쇠는 텃밭에 묻어 둔 금덩이를 ❹**애지중지**했어요.

어느 날, 구두쇠가 집을 비우고 멀리 일을 보러 갔어요. 며칠 후 돌아온 구두쇠는 텃밭에 가 보고 깜짝 놀랐어요. 자신이 금덩이를 숨긴 땅이 파여 있었기 때문이에요. 구두쇠는 땅을 치며 엉엉 울었어요. 마침 그곳을 지나가던 나그네가 구두쇠를 보고 물었어요.

"대체 무슨 일로 울고 계세요?"

"내가 묻어 둔 금덩이가 없어졌어요. 평생 모은 돈으로 산 금덩이인데."

나그네는 다시 물었어요.

"금덩이를 잃어버리다니 ❺**안타까운** 일이에요. 대체 그 금으로 무엇을 할 생각이었어요?"

"아까운 금덩이로 무엇을 하겠어요. 잘 ❻**간직하려고** 했지요."

나그네는 구두쇠의 말을 듣고 이렇게 말했어요.

"금을 쓰지 않고 묻어 두기만 할 거라면 그렇게 슬퍼하지 마세요. 큰 돌덩이 하나를 묻어 두고 그것을 금덩이라고 생각하면 되잖아요."

1 구두쇠가 평생 모은 돈으로 한 일을 고르세요. (   )

① 텃밭을 사서 채소를 심고 가꾸었어요.
② 사람들에게 돈을 골고루 나누어 주었어요.
③ 금덩이를 사서 텃밭 깊숙이 묻어 두었어요.

2 빈칸에 들어갈 말을 글에서 찾아 쓰세요.

> 구두쇠는 금덩이를 매우 소중하게 여겨 잘 간직하고 싶었어요. 그래서 남몰래 텃밭에 묻어 두고 금덩이를 묻어 둔 곳을 흡족하게 바라보았어요. 구두쇠는 금덩이를 ☐☐☐☐했어요.

3 나그네가 땅에 묻어 두라고 한 것을 빈칸에 쓰고, 알맞은 그림에 ○표 하세요.

83

4 다음 낱말의 알맞은 뜻을 찾아 선으로 이으세요.

(1) 흡족하다 •

(2) 안타깝다 •

(3) 간직하다 •

• ① 물건을 어떤 장소에 잘 보관하다.

• ② 모자람이 없을 정도로 넉넉하여 만족하다.

• ③ 뜻대로 되지 않아서 가슴이 아프고 답답하다.

5 다음 그림에서 '평생'에 해당하는 만큼 색칠하세요.

태어남   죽음

6 다음 글을 읽고, 빈칸에 들어갈 한자 성어를 보기 에서 찾아 쓰세요.

보기   다다익선   애지중지   이심전심

모형 비행기는 오빠가 □□□□ 하는 물건이에요. 오빠는 모형 비행기를 정말 소중하게 여기고 아껴서 아무도 모형 비행기를 만지지 못하게 해요.

7 다음 문장에 들어갈 바른 낱말에 ○표 하세요.

(1) 강아지가 땅에 뼈다귀를 { 묻어 / 뭍어 } 두었어요.

(2) 아빠는 { 흡족한 / 흡쪼칸 } 미소를 지었어요.

8 밑줄 친 낱말을 바르게 고쳐 쓰세요.

(1)
> 대채 왜 우는지 모르겠어요.

→ ☐ ☐

(2)
> 수첩을 이러버리다니 안타까운 일이에요.

→ ☐ ☐ ☐ ☐ ☐ ☐ ☐

2단계 18 받아쓰기

9 들려주는 말을 잘 듣고 띄어쓰기에 유의하여 받아쓰세요.

(1) ☐ ☐ ∨ ☐ ☐ ∨ ☐ ☐ ∨ ☐ ☐ ☐ . ☐

(2) ☐ ☐ ☐ ∨ ☐ ∨ ☐ ☐ ☐ ☐ ?

(3) ☐ ∨ ☐ ☐ ☐ ∨ ☐ ☐ ☐ . ☐

QR코드를 찍어
낱말 게임을
해 보세요.
2단계 18 낱말 게임

맞은 개수 _____ /9개

스스로
붙임딱지

교과 어휘

물놀이 안전 수칙

2단계 19 지문 듣기

아는 어휘에 ✔ 표시를 해 보고, 어휘의 뜻을 생각하며 글을 읽어 보세요.

☐ 수칙 ☐ 한달음 ☐ 마치 ☐ 착용

⏰ 공부한 날

월　　일

❶ **수칙**: 지키도록 정한 규칙.
❷ **한달음**: 중간에 쉬지 않고 한 번에 달려감.
❸ **구명조끼**: 사람이 물에 빠져도 몸이 물에 뜰 수 있도록 만든 조끼.
❹ **마치**: 거의 비슷하게.
❺ **장비**: 어떤 일을 하기 위하여 갖추어야 할 물건이나 시설.
❻ **착용**: 옷이나 신발 등을 입거나 신음.

민호네는 여름휴가를 맞아 바닷가에 놀러 갔어요. 민호는 신이 나서 바다 쪽으로 뛰어갔어요.

"민호야, 바닷물에 바로 들어가면 안 돼! 저기 안내판을 봐!"

아빠께서 가리키신 곳에는 '**물놀이 안전 ❶수칙**'이라고 커다랗게 쓰인 안내판이 있었어요. 민호는 ❷**한달음**에 바다로 들어가고 싶었지만 참았어요. 그리고 아빠와 함께 안전을 위해 준비 운동을 하고 ❸**구명조끼**를 입었어요. 민호는 바닷물에 들어가기 전에 아빠께서 가르쳐 주신 대로 손과 발, 다리에 먼저 물을 묻혔어요. 그다음 천천히 바닷물에 몸을 담그고 들어가서 놀기 시작했어요. 파도가 밀려오면 몸이 붕 떴다가 떠밀려 가는 것이 ❹**마치** 놀이기구를 탄 것처럼 재미있었어요. 바닷가에서 놀다 보니 시간 가는 줄 몰랐어요.

"엄마, 얼굴이랑 어깨가 너무 따가워요."

"어머나. 뜨거운 햇볕 아래에서 너무 오래 놀아 피부가 빨갛게 되어 버렸네." 엄마께서 민호에게 차가운 수건으로 냉찜질을 해 주셨어요.

여름에 물놀이를 할 때에는 물놀이 안전 수칙을 잘 지켜야 해요. 물에 들어가기 전에는 준비 운동을 하고, 물에 들어갈 때에는 손, 발, 다리, 얼굴, 가슴 순서로 물을 적신 후 천천히 들어가요. 구명조끼나 튜브 같은 안전 ❺**장비** ❻**착용**도 중요해요. 또 자외선으로부터 피부를 보호하도록 자외선 차단제를 바르고 모자를 써요. 물놀이 후에는 몸을 깨끗이 씻고 푹 쉬도록 해요.

1 다음 문장이 글의 내용에 맞으면 ○표, 맞지 않으면 ×표 하세요.

(1) 민호는 신이 나서 한달음에 바다로 들어갔어요. ☐

(2) 민호는 햇볕 아래에서 오래 놀아 피부가 빨갛게 되었어요. ☐

2 다음 민호의 행동과 행동을 한 까닭을 선으로 이으세요.

(1) 준비 운동 •

(2) 냉찜질 •

• ① 얼굴과 어깨가 따가웠어요.

• ② 안전하게 물놀이를 하고 싶었어요.

3 빈칸에 들어갈 말을 글에서 찾아 쓰세요.

물놀이 안전 수칙

▶ **물놀이 전**

• 반드시 (1) ☐☐☐☐을 합니다.

• (2) ☐☐☐☐나 튜브 같은 안전 장비를 착용합니다.

• (3) 자외선 ☐☐☐를 바르고 모자를 씁니다.

▶ **물놀이 중**

• 물 깊이를 알고 있는 곳에서만 물놀이를 합니다.

• 물에 들어갈 때는 손, (4) ☐, 얼굴, 가슴의 순서로 몸에 물을 적십니다.

▶ **물놀이 후**

• 몸을 깨끗이 씻고 푹 쉽니다.

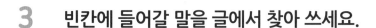

87

4 다음 낱말의 알맞은 뜻을 보기 에서 찾아 번호를 쓰세요.

> 보기
> ① 지키도록 정한 규칙.
> ② 옷이나 신발 등을 입거나 신음.
> ③ 중간에 쉬지 않고 한 번에 달려감.

(1) 착용 ☐   (2) 수칙 ☐   (3) 한달음 ☐

5 다음 빈칸에 공통으로 들어갈 낱말을 쓰세요.

> • 그 노래는 ☐☐ 천사가 부르는 것 같았어요.
>   ↳ 거의 비슷하게.
> • 은수는 ☐☐ 자기가 대장인 것처럼 행동했어요.

6 친구들이 말하고 있는 것이 무엇인지 빈칸에 들어갈 말을 쓰세요.

> 세정: 물에 들어가기 전에는 준비 운동을 충분히 해야 해.
> 혜미: 물에 들어갈 때는 손부터 물을 적셔야 해.
> 동성: 아무리 수영을 잘해도 깊은 곳까지 들어가면 위험해.
> 다은: 구명조끼나 튜브 같은 안전 장비를 준비해야 해.

물놀이 ☐ㅇ ☐ㅈ ☐ㅅ ☐ㅊ

7 다음 문장에 들어갈 바른 낱말에 ○표 하세요.

(1) 나는 손가락으로 버스 표지판을 { 가리켰다 / 가르켰다 }.

(2) 엄마가 { 조끼 / 쪼끼 }를 사주셨다.

정답과 해설 11쪽

8 밑줄 친 낱말을 바르게 고쳐 쓰세요.

(1)
눈을 <u>커다라케</u> 떴어요.

→

(2)
<u>햇볓</u> 때문에 얼굴이 까맣게 탔어요.

→

2단계 19 받아쓰기

9 들려주는 말을 잘 듣고 띄어쓰기에 유의하여 받아쓰세요.

(1)

(2)

(3)

QR코드를 찍어
낱말 게임을
해 보세요.

2단계 19 낱말 게임

맞은 개수 _____ /9개

89

스스로
붙임딱지

천지(天地)

● 天(천)은 '하늘', '타고난 성질', '자연' 등을 뜻해요.

사람 머리 위에 하늘이 펼쳐져 있는 모습에서 만들어진 글자예요.

天

하늘 **천**

天(천)이 들어간 다음 어휘 중에서 아는 것에 ✔ 표시를 하세요.

☐ 천국　　☐ 천성　　☐ 천연

천 국	
하늘 天　나라 國	뜻 신이 살고 있다는 하늘 나라.
	예 착한 일을 많이 하면 천국에 간대요.

천 성	
하늘 天　성품 性	뜻 타고난 성격이나 됨됨이.
	예 승호는 천성이 착해서 불평하는 일이 없어요.

천 연	
하늘 天　그러할 然	뜻 사람의 힘을 보태지 않은 상태.
	예 이 오렌지 주스는 천연 과즙으로 만들었어요.

'천지'는 하늘과 땅, 또는 이 세상이나 우주를 말해요.

● 地(지)는 '땅', '장소' 등을 뜻해요.

  → 地

흙 위에 뱀이 있는 모습에서 만들어진 글자예요.

4주차 Day 20

地
땅 지

地(지)가 들어간 다음 어휘 중에서 아는 것에 ✔ 표시를 하세요.

☐ 지구　　☐ 지도　　☐ 지하철

지	구
땅 地	공 球

뜻 태양에서 세 번째로 가까운 행성. 우리가 살고 있는 곳.
예 달은 지구 주위를 돌고, 지구는 태양 주위를 돌아요.

지	도
땅 地	그림 圖

뜻 지구 표면의 상태를 일정한 비율로 줄이고 약속된 기호로 평면에 나타낸 그림.
예 엄마께서 지도를 보고 다보탑에 가는 길을 찾았어요.

지	하	철
땅 地	아래 下	쇠 鐵

뜻 땅 밑에서 철도로 다니는 전동차.
예 지하철은 먼 곳까지 빠르게 이동할 수 있는 교통수단이에요.

1 다음 뜻과 음에 알맞은 한자를 보기 에서 찾아 번호를 쓰세요.

> 보기　　①手　　②天　　③口　　④地

(1) 하늘 천 – ☐　　(2) 땅 지 – ☐

2 다음 낱말의 알맞은 뜻을 찾아 선으로 이으세요.

(1) 천연 •　　• ① 타고난 성격이나 됨됨이.

(2) 천성 •　　• ② 땅 밑에서 철도로 다니는 전동차.

(3) 지하철 •　　• ③ 사람의 힘을 보태지 않은 상태.

3 빈칸에 들어갈 낱말을 보기 에서 찾아 쓰세요.

> 보기　　지구　　천국　　지도

(1) 돌아가신 우리 할머니는 마음이 고운 분이라 ☐☐ 에 가셨을 거예요.
↳ 신이 살고 있다는 하늘 나라.

(2) 달이 ☐☐ 둘레를 한 번 도는 데 약 27일이 걸려요.
↳ 태양에서 세 번째로 가까운 행성. 우리가 살고 있는 곳.

(3) 우리 집과 학교의 위치가 온라인 ☐☐ 에 정확하게 나와 있어요.
↳ 지구의 표면을 일정한 비율로 줄이고 기호로 나타낸 그림.

[4~5] 그림을 보고, 물음에 답하세요.

4 그림 속 빈칸에 '천(天)'과 '지(地)' 가운데에서 알맞은 글자를 쓰세요.

(1) ☐ 사
하늘과 사람의 가운데에서 서로에게 뜻을 전하는 존재.

(2) 대 ☐
대자연의 넓고 큰 땅.

(3) 양 ☐
볕이 바로 드는 곳.

4주차
Day 20

정답과 해설 12쪽

5 빈칸에 들어갈 낱말을 쓰세요.

(1) 잠든 아기의 모습이 꼭 ☐☐ 같아요.

(2) 푸르른 ☐☐ 에 나무 두 그루가 서 있어요.

(3) ☐☐ 에 예쁜 꽃들이 피어 있어요.

QR코드를 찍어
낱말 게임을
해 보세요.

2단계 20 낱말 게임

맞은 개수 _____ /5개

스스로
붙임딱지

다음 뜻에 알맞은 낱말을 퍼즐판에서 찾고 빈칸에 쓰세요.

		꾸	천	연
		짖	마	
헤	매	다	치	
착	간	직	하	다
용	지	구		

(1) 꾸 ☐ ☐ : 잘못을 몹시 나무라다.

(2) ☐ 매 ☐ : 이리저리 돌아다니다.

(3) ☐ 직 ☐ ☐ : 물건을 어떤 장소에 잘 보호하거나 보관하다.

(4) 마 ☐ : 거의 비슷하게.

(5) ☐ 용 : 옷이나 신발 등을 입거나 신음.

(6) 천 ☐ : 사람의 힘을 보태지 않은 상태.

(7) 지 ☐ : 태양에서 세 번째로 가까운 행성. 우리가 살고 있는 곳.

알고 있는 어휘는
글에서 어떻게 쓰였는지 확인하고,
모르는 어휘는 글을 읽으며
재미있게 익혀 보아요!

5주 어휘
미리보기

뜻을 알고 있는 어휘에 ✔ 표 해 보세요.

	배울 내용	배울 어휘	공부한 날
Day 21	속담 입에 쓴 약이 몸에 좋다	☐ 후끈후끈 ☐ 소문나다 ☐ 감격하다 ☐ 엉터리 ☐ 세차다 ☐ 쏠리다	월 일
Day 22	관용어 머리를 맞대다	☐ 재주 ☐ 폭풍우 ☐ 순식간 ☐ 몸부림치다 ☐ 공격하다 ☐ 잽싸다	월 일
Day 23	한자 성어 자포자기(自暴自棄)	☐ 쑤다 ☐ 매다 ☐ 거두다 ☐ 절구 ☐ 멍석 ☐ 지게	월 일
Day 24	교과 어휘 다양한 직업	☐ 흥얼흥얼 ☐ 수신호 ☐ 진료 ☐ 바리스타 ☐ 직업	월 일
Day 25	한자 어휘 공기(空氣)	☐ 공중 ☐ 공상 ☐ 공복 ☐ 전기 ☐ 용기 ☐ 향기	월 일

속담

입에 쓴 약이 몸에 좋다

2단계 21 지문 듣기

아는 어휘에 ✔ 표시를 해 보고, 어휘의 뜻을 생각하며 글을 읽어 보세요.

☐ 후끈후끈 ☐ 소문나다 ☐ 감격하다 ☐ 엉터리 ☐ 세차다 ☐ 쏠리다

🕐 **공부한 날**

월   일

❶ **후끈후끈**: 열을 받아서 갑자기 자꾸 뜨거워지는 모양.

❷ **으슬으슬**: 소름이 끼칠 만큼 매우 차가운 느낌이 계속 드는 모양.

❸ **소문난**: 어떤 말이나 사실 등이 사람들 사이에 널리 퍼진.

❹ **감격한**: 마음에 깊이 느끼어 매우 감동한.

❺ **엉터리**: 겉으로는 그럴듯하나 실제로는 아무 소용이 없는 것.

❻ **입에 쓴 약이 몸에 좋다**: 듣기 싫은 충고가 많은 도움을 준다.

❼ **세차게**: 힘 있고 거세게.

❽ **쏠렸어요**: 무엇이 기울어져 한쪽으로 몰렸어요.

깊은 바다에 칠백 살이 넘은 멸치가 있었어요.

어느 날 멸치는 이상한 꿈을 꾸었어요. 꿈속에서 멸치는 하늘로 휙 올라 갔다가 땅으로 툭 떨어졌어요. 갑자기 흰 눈이 펑펑 내리더니 몸이 ❶**후끈 후끈** 더웠다가 ❷**으슬으슬** 추웠다가 했어요. 멸치는 꿈이 무엇을 뜻하는지 몹시 궁금해서 꿈풀이를 잘하기로 ❸**소문난** 망둑 할멈을 찾아갔어요. 망둑 할멈은 멸치의 꿈 이야기를 듣더니 ❹**감격한** 표정으로 말했어요.

"그 꿈은 멸치 자네가 용이 되어 세상을 다스리게 되는 꿈이라네."

망둑 할멈의 꿈풀이에 멸치는 무척 기뻐했어요. 그런데 옆에서 듣고 있던 가자미가 조용히 말했어요.

"멸치야, 그 꿈은 용이 되는 꿈이 아니야. 하늘로 올라갔 다가 땅으로 떨어지는 것은 낚싯대에 걸린 것이고 흰 눈 이 내리는 것은 소금을 뿌리 는 것이야. 또 더웠다가 추웠 다가 하는 것은 너를 불에 익 히려고 몸을 뒤집었다 엎었다하는 것이지."

그 말을 들은 멸치가 화가 나서 소리쳤어요.

"뭐라고? 그럼 망둑 할멈의 꿈풀이가 ❺**엉터리**라는 말이야? 내가 용이 된 다고 하니 샘이 나는 모양이구나!"

멸치는 화를 냈고, 멸치가 걱정된 가자미는 계속해서 말했어요.

"멸치야, ❻**입에 쓴 약이 몸에 좋다**'고 하잖아. 그 꿈은 분명 나쁜 꿈이야."

멸치는 화가 머리끝까지 나서 가자미의 뺨을 ❼**세차게** 때렸어요. 그 때문 에 가자미의 눈이 한쪽으로 ❽**쏠렸어요**.

1 다음 꿈풀이를 한 동물을 찾아 선으로 이으세요.

(1) 그 꿈은 자네가 용이 되어 세상을 다스리게 되는 꿈이라네. •

(2) 그 꿈은 용이 되는 꿈이 아니야. 그 꿈은 분명 나쁜 꿈이야. •

• ① 멸치

• ② 가자미

• ③ 망둥 할멈

2 가자미가 멸치에게 뺨을 맞고 어떻게 되었는지 고르세요. (   )

① 코가 비뚤어졌어요.

② 뺨이 붉게 물들었어요.

③ 눈이 한쪽으로 쏠렸어요.

3 빈칸에 들어갈 말을 글에서 찾아 쓰세요.

가자미는 멸치가 꾼 꿈은 멸치가 낚싯대에 걸려 불에 익혀지는 꿈이라고 했어요. 하지만 멸치는 가자미가 샘을 낸다고 생각하고 화를 냈어요. 가자미는 '(1) ▢ 에 쓴 (2) ▢▢ 이 몸에 좋다'며 듣기 싫더라도 자신의 말을 새겨들어야 한다고 했어요.

4 다음 낱말의 알맞은 뜻을 보기 에서 찾아 번호를 쓰세요.

> 보기
> ① 막기 힘들 정도로 몹시 세다.
> ② 마음에 깊이 느끼어 감동하다.
> ③ 어떤 말이나 사실 등이 사람들 사이에 널리 퍼지다.

(1) 세차다 ☐   (2) 소문나다 ☐   (3) 감격하다 ☐

5 밑줄 친 낱말이 문장의 내용과 어울리지 <u>않는</u> 것을 고르세요. (   )

① 동생의 말이 <u>엉터리</u>여서 믿을 수 없었어요.
　　　↳ 겉으로는 그럴듯하나 실제로는 소용이 없는 것.

② 버스가 갑자기 멈추자 사람들의 몸이 앞으로 <u>쏠렸어요</u>.
　　　　　　↳ 기울어져 한쪽으로 몰렸어요.

③ 아이스크림을 많이 먹었더니 몸이 <u>후끈후끈</u> 추웠어요.
　　　　　↳ 열을 받아서 갑자기 자꾸 뜨거워지는 모양.

6 다음 대화를 읽고, 빈칸에 들어갈 속담을 고르세요. (   )

선호야, 독서 감상문에 네 느낌을 더 자세히 쓰면 좋을 것 같아.

다른 친구들은 모두 잘 썼다고 하던데, 괜히 부러워서 그러는 거니?

선호야, [   ]고 했어.
친구의 충고를 받아들이면 더 좋은 글을 쓸 수 있을 거야.

① 뿌린 대로 거둔다   ② 남의 떡이 더 커 보인다   ③ 입에 쓴 약이 몸에 좋다

7 다음 문장에 들어갈 바른 낱말에 ○표 하세요.

(1) 파도가 바위를 { 새차게 / 세차게 } 때렸어요.

(2) 손바닥을 반대로 { 뒤집었어요 / 뒤짚었어요 }.

(3) 고기를 { 이키려고 / 익히려고 } 불에 구웠어요.

8 밑줄 친 낱말을 바르게 고쳐 쓰세요.

나는 아빠와 낚싯대를 강물에 던져 놓고 (1) 조용이 기다렸어요. 하지만 몇 시간이 지나도 물고기는 잡히지 않았어요. 계속 기다리기만 해서 (2) 몹씨 지루했어요.

(1)

(2)

9 들려주는 말을 잘 듣고 띄어쓰기에 유의하여 받아쓰세요.

(1)

(2) !

(3) .

QR코드를 찍어
낱말 게임을
해 보세요.

2단계 21 낱말 게임

맞은 개수 _____ /9개

99

스스로
붙임딱지

관용어

머리를 맞대다

2단계 22 지문 듣기

아는 어휘에 ✔ 표시를 해 보고, 어휘의 뜻을 생각하며 글을 읽어 보세요.

☐ 재주　☐ 폭풍우　☐ 순식간　☐ 몸부림치다　☐ 공격하다　☐ 잽싸다

🕐 공부한 날

월　　　일

❶ **재주**: 무엇을 잘하는 타고 난 능력.

❷ **폭풍우**: 폭풍이 불면서 세차게 쏟아지는 비.

❸ **머리를 맞대고**: 어떤 일을 의논하기 위하여 서로 마주 대하고.

❹ **순식간**: 눈을 한 번 깜빡하거나 숨을 한 번 쉴 만큼의 아주 짧은 동안.

❺ **몸부림치더니**: 어떤 자극을 받아 몸을 이리저리 심하게 흔들거나 움직이더니.

❻ **공격했어요**: 전쟁에서 적을 쳤어요.

❼ **잽싸게**: 눈치나 동작이 매우 빠르게.

　　어느 마을에 용감한 삼 형제와 어머니가 살았어요. 어머니는 삼 형제에게 훌륭하고 신기한 ❶**재주**를 배워 오라고 말했어요.

　　삼 형제는 각자 특별한 재주를 한 가지씩 배워 왔어요. 첫째는 방석을 타고 하늘을 날아다니는 재주를, 둘째는 아주 먼 곳까지 내다보는 재주를, 셋째는 화살을 쏘기만 하면 명중하는 재주를 배웠어요.

　　어느 날, 갑자기 ❷**폭풍우**가 몰아치더니 해가 뜨지 않고 세상에서 빛이 사라졌어요. 어머니는 삼 형제에게 해를 찾아오라고 말했어요. 삼 형제는 ❸**머리를 맞대고** 해를 되찾을 방법을 의논했어요. 그리고 첫째의 방석을 타고 스승  님을 찾아 갔어요. 스승님은 삼 형제에게 하늘 끝에 용 두 마리가 있는데 그중 암컷 용이 해를 삼켰다고 말했어요.

　　둘째는 금세 용들이 있는 곳을 찾아냈어요. 삼 형제는 첫째의 방석을 타고 ❹**순식간**에 그곳으로 날아갔어요. 그리고 셋째가 암컷 용을 향해 활을 쏘았어요. 화살을 맞은 암컷 용은 괴로워하며 ❺**몸부림치더니** 해를 토해 냈어요. 그러자 세상이 다시 눈부시게 환해졌어요.

　　삼 형제는 힘을 모아 용들을 ❻**공격했어요**. 암컷 용은 죽었지만, 수컷 용은 ❼**잽싸게** 연못 속으로 도망쳤어요. 삼 형제는 수컷 용이 다시 나타나 해를 삼키지 못하도록 하늘로 올라가 해를 지키는 별이 되었어요.

1 삼 형제가 배운 재주를 찾아 선으로 이으세요.

(1) 첫째 •

(2) 둘째 •

(3) 셋째 •

• ① 아주 먼 곳까지 내다보는 재주

• ② 화살을 쏘기만 하면 명중하는 재주

• ③ 방석을 타고 하늘을 날아다니는 재주

2 빈칸에 들어갈 말을 글에서 찾아 쓰세요.

갑자기 해가 뜨지 않고 세상에서 빛이 사라졌어요. 어머니는 삼 형제에게 해를 찾아오라고 했어요. 삼 형제는 ☐☐를 맞대고 해를 되찾을 방법을 의논했어요. 삼 형제는 해를 삼킨 용을 찾았고 힘을 모아 해를 되찾았어요.

3 삼 형제가 하늘로 올라가 별이 된 까닭을 고르세요. ( )

① 해를 삼킨 암컷 용을 놓쳐서
② 밤에도 세상을 환하게 비추기 위해서
③ 수컷 용이 해를 삼키지 못하도록 해를 지키기 위해서

4 낱말의 뜻이 알맞지 <u>않은</u> 것을 고르세요. (   )

① **공격하다**: 외부의 침략을 막다.

② **잽싸다**: 눈치나 동작이 매우 빠르다.

③ **몸부림치다**: 자극을 받아 몸을 심하게 흔든다.

5 빈칸에 들어갈 낱말을 보기 에서 찾아 쓰세요.

보기	재주	순식간	폭풍우

(1) 예슬이는 노래에 특별한 [   ]가 있어요.

↳ 무엇을 잘하는 타고난 능력.

(2) 태풍이 [   ]를 몰고 와서 비행기가 뜰 수 없어요.

↳ 폭풍이 불면서 세차게 쏟아지는 비.

(3) 형준이는 아이스크림 한 개를 [   ]에 먹어 치웠어요.

↳ 아주 짧은 동안.

6 다음 글을 읽고, 빈칸에 들어갈 말을 고르세요. (   )

생쥐들이 사는 집에 고양이가 나타났어요. 생쥐들은 매일 고양이와 마주칠까 봐 두려움에 떨었어요. 참다못한 생쥐들은 [   ] 고양이를 피할 방법을 의논했어요. 그리고 고양이 목에 방울을 달기로 했어요.

① 무릎을 꿇고   ② 배꼽을 잡고   ③ 머리를 맞대고

7 다음 문장에 들어갈 바른 낱말에 ○표 하세요.

(1) 나는 그림 그리는 { 재주 / 제주 } 가 뛰어나요.

(2) 대문에 서서 골목길을 { 내다보니 / 네다보니 } 멀리서 아빠가 보였어요.

8 틀린 글자가 있는 낱말을 찾아 번호를 쓰고 바르게 고쳐 쓰세요.

(1) ①새들이 하늘을 ②빠르게 ③날라다녀요.

[   ] ➡ [   ]

(2) 미나 ①덕분에 ②잃어버린 우산을 ③돼찾을 수 있었어요.

[   ] ➡ [   ]

9 들려주는 말을 잘 듣고 띄어쓰기에 유의하여 받아쓰세요.

(1)

(2)

(3)

한자 성어

자포자기(自 스스로 자 暴 사나울 포 自 스스로 자 棄 버릴 기)

2단계 23 지문 듣기

아는 어휘에 ✔ 표시를 해 보고, 어휘의 뜻을 생각하며 글을 읽어 보세요.

☐ 쑤다 ☐ 매다 ☐ 거두다 ☐ 절구 ☐ 멍석 ☐ 지게

🕐 **공부한 날**

　　　월　　　일

❶ **쑤는**: 곡식의 알갱이나 가루를 물에 끓여 익혀서 죽을 만드는.

❷ **매고**: 논밭에 난 잡초를 뽑아내고.

❸ **거두었어요**: 익은 곡식이나 열매를 모아서 가져왔어요.

❹ **자포자기**: 절망에 빠져서 스스로 자신을 돌보지 않고 모든 일을 포기함.

❺ **절구**: 곡식을 빻거나 찧고 떡을 치는 기구.

❻ **멍석**: 마당에 깔아 놓고 사람이 앉거나 곡식을 널어 말리는 데에 쓰는, 짚으로 엮어 만든 큰 깔개.

❼ **지게**: 나무로 등에 짐을 질 수 있도록 만든 한국 고유의 운반 기구.

　옛날에 팥죽을 잘 ❶**쑤는** 팥죽 할머니가 살았어요. 더운 여름날 할머니가 팥밭을 ❷**매고** 있는데, 호랑이가 나타나 할머니를 잡아먹으려고 했어요. 할머니는 덜덜 떨면서 가을에 맛있는 팥죽을 쑤어 줄 테니 그때 자기를 잡아먹으라고 말했어요. 호랑이는 할머니에게 가을에 다시 오겠다며 사라졌어요.

　가을이 되자 할머니는 팥을 ❸**거두었어요**. 할머니는 곧 호랑이가 자신을 잡아먹으러 온다는 것이 생각났고, ❹**자포자기**한 채 울면서 팥죽을 쑤었어요.

　그때 알밤이 와서 할머니가 우는 까닭을 물었어요. 알밤은 할머니의 이야기를 듣고 팥죽 한 그릇을 주면 할머니를 돕겠다고 말했어요. 할머니가 알밤에게 팥죽을 주자 알밤은 팥죽을 맛있게 먹고 아궁이 속에 숨었어요.

　할머니는 계속 울었어요. 그러자 ❺**절구**, ❻**멍석**, ❼**지게**가 와서 할머니의 이야기를 듣고 팥죽 한 그릇을 주면 할머니를 도와주겠다고 했어요. 절구, 멍석, 지게는 할머니가 듬뿍 담아 주는 팥죽을 맛있게 먹고 집안 곳곳에 숨었어요.

　캄캄한 밤이 되자 호랑이가 나타났어요. 집이 매우 어두워서 호랑이는 불씨를 찾으려고 했어요. 그때 아궁이 속에 있는 알밤이 톡 튀어나와 호랑이의 눈을 딱 때렸어요. 호랑이는 앞발로 눈을 감싸며 넘어졌어요. 문 위에 있던 절구는 호랑이 머리 위에 쿵 떨어졌어요. 호랑이는 바닥에 깔려 있던 멍석 위에 쓰러졌어요. 멍석은 호랑이를 돌돌 말아 버렸어요. 그러자 지게가 멍석에 말린 호랑이를 지고 가서 강물에 풍덩 빠뜨렸어요.

　알밤, 절구, 멍석, 지게의 활약 덕분에 팥죽 할머니는 호랑이에게 잡아먹히지 않고 오래오래 살았답니다.

1 할머니가 운 까닭을 고르세요. (   )

① 팥죽을 함께 먹을 가족이 없어서

② 호랑이가 할머니를 잡아먹으러 올 것이라서

③ 불을 땐 땔감이 타면서 나오는 연기가 매워서

2 알밤, 절구, 멍석, 지게가 호랑이에게 한 일을 찾아 선으로 이으세요.

(1) 알밤 •   • ① 호랑이의 눈을 딱 때렸어요.

(2) 절구 •   • ② 호랑이를 돌돌 말아 버렸어요.

(3) 멍석 •   • ③ 호랑이 머리 위에 쿵 떨어졌어요.

(4) 지게 •   • ④ 호랑이를 지고 가서 강물에 빠뜨렸어요.

3 밑줄 친 말을 나타내는 한자 성어를 글에서 찾아 쓰세요.

> 가을이 되자 팥죽 할머니는 팥을 거두었어요. 할머니는 곧 호랑이가 자신을 잡아먹으러 온다는 것이 생각났고, 밑줄 친 <u>절망에 빠져 모든 것을 포기한</u> 채 팥죽을 쑤었어요.

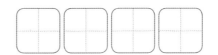

4 다음 도구의 이름을 보기 에서 찾아 쓰세요.

> 보기   절구   멍석   지게

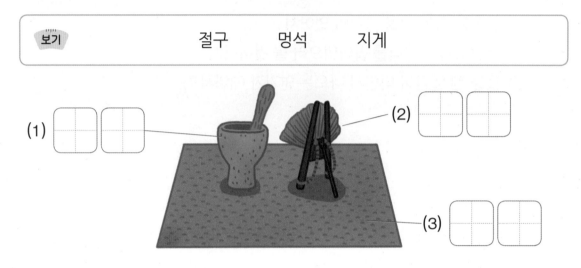

(1) ☐☐

(2) ☐☐

(3) ☐☐

5 다음 문장의 빈칸에 어울리는 낱말을 찾아 선으로 이으세요.

(1) 콩으로 메주를 ☐ .   •   • ① 매다

(2) 잘 익은 보리를 ☐ .   •   • ② 쑤다

(3) 넓은 마늘밭을 ☐ .   •   • ③ 거두다

6 '자포자기'한 상황에 알맞은 말을 고르세요. (   )

① 해야 할 일이 너무 많아. 나는 틀렸어. 다 포기할래.

② 어제는 할 일을 다 하지 못했지만 오늘은 꼭 다 해낼 거야.

③ 이 많은 일을 다 할 수 있을지 모르겠어. 되는 데까지만 할래.

7 다음 문장에 들어갈 바른 낱말에 ○표 하세요.

(1) 농부가 호미로 밭을 { 매고 / 메고 } 있어요.

(2) 찐빵에 팥이 { 듬북 / 듬뿍 } 들어 있어요.

8 밑줄 친 낱말을 바르게 고쳐 쓰세요.

(1) 추운 겨울날 따끈한 <u>팥쭉</u>을 먹어요.

➡

(2) 참새가 벌레를 <u>자바먹었어요</u>.

➡

9 들려주는 말을 잘 듣고 띄어쓰기에 유의하여 받아쓰세요.

(1)

(2)

(3)

다양한 직업

아는 어휘에 ✔ 표시를 해 보고, 어휘의 뜻을 생각하며 글을 읽어 보세요.

☐ 흥얼흥얼　☐ 수신호　☐ 진료　☐ 바리스타　☐ 직업

⏰ **공부한 날**

월　　일

❶ **식료품**: 음식의 재료가 되는 먹을거리.

❷ **흥얼흥얼**: 기분이 좋아서 입속으로 계속 노래를 부르는 소리. 또는 그 모양.

❸ **이따가**: 조금 뒤에.

❹ **수신호**: 손으로 하는 신호.

❺ **진료**: 의사가 환자를 진찰하고 치료하는 일.

❻ **제빵사**: 빵을 만드는 일을 전문으로 하는 사람.

❼ **바리스타**: 커피를 만드는 일을 전문으로 하는 사람.

❽ **직업**: 돈을 벌기 위해 정해 놓고 하는 일.

　　미나는 엄마와 함께 미용실에 가려고 집을 나섰어요. 집 앞 골목길에는 미나네 가족이 자주 다니는 ❶**식료품** 가게가 있어요. 식료품 가게 아저씨는 채소와 과일을 정리하고 있었어요. 미나는 ❷**흥얼흥얼** 노래를 부르는 아저씨를 보니 기분이 좋아졌어요.

　　'맛있겠다. ❸**이따가** 엄마한테 포도를 사 달라고 해야지.'

　　미나는 큰길을 건너려고 횡단보도 앞에 섰어요. 교통경찰 아저씨는 '삐이익' 호루라기를 불면서 사람들이 안전하게 길을 건널 수 있도록 ❹**수신호**를 보내고 있었어요.

　　길을 건너서 소아과가 있는 건물을 지났어요. 유리문 너머로 아기들이 기침하는 모습을 보니, 미나도 의사 선생님께 ❺**진료**를 받았던 일이 생각났어요.

　　미나는 맛있는 빵 냄새가 나는 제과점을 지났어요. ❻**제빵사** 아저씨가 손바닥으로 반죽을 탁탁 치며 빵을 만들고 있었어요. 제과점 옆에는 카페가 있어요. 미나네 엄마는 이 카페의 ❼**바리스타** 아주머니가 만들어 주는 커피를 제일 좋아해요.

　　드디어 미나와 엄마는 미용실에 도착했어요. 미용사 아주머니가 미나의 머리를 예쁘게 잘라 주셨고, 미나는 엄마와 함께 집에 돌아왔어요. 택배 기사 아저씨가 벌써 다녀갔는지 집 앞에 택배 상자가 놓여 있었어요.

　　미나는 동네에 **다양한** ❽**직업**을 가진 사람들이 있고 그분들 덕분에 동네가 살기 좋은 곳이 되었다는 것을 알게 되었어요.

1 글의 내용으로 맞지 <u>않는</u> 것을 고르세요. (　　　)

① 식료품 가게 아저씨는 채소와 과일을 정리하고 있었어요.

② 교통경찰 아저씨는 신호를 지키지 않은 차를 향해 호루라기를 불었어요.

③ 미나네 엄마는 제과점 옆에 있는 카페에서 파는 커피를 제일 좋아해요.

④ 미나가 집에 돌아오기 전에 택배 기사 아저씨가 집에 다녀갔어요.

2 미나가 다음 가게를 지날 때 본 사람의 직업을 고르세요. (　　　)

① 경찰　　　　② 제빵사　　　　③ 미용사　　　　④ 바리스타

3 빈칸에 들어갈 낱말을 글에서 찾아 쓰세요.

미나

경찰, 의사, 제빵사, 바리스타 등 다양한 ☐☐을 가진 분들 덕분에 우리 동네가 살기 좋은 곳이 되었구나!

4 다음 낱말의 알맞은 뜻을 찾아 선으로 이으세요.

(1) 진료 •

(2) 직업 •

(3) 수신호 •

• ① 손으로 하는 신호.

• ② 돈을 벌기 위해 정해 놓고 하는 일.

• ③ 의사가 환자를 진찰하고 치료하는 일.

5 아이의 행동과 어울리는 낱말을 빈칸에 쓰세요.

ㅎ	ㅇ	ㅎ	ㅇ

↳ 기분이 좋아서 계속 노래를 부르는 모양.

6 다음 설명에 알맞은 직업을 보기 에서 찾아 빈칸에 쓰세요.

보기   경찰   미용사   택배 기사   제빵사   바리스타

(1) 커피 만드는 일을 전문으로 합니다.

(2) 택배를 원하는 곳까지 배달해 줍니다.

(3) 미용실에서 머리를 자르거나 파마를 해 줍니다.

7 다음 문장에 들어갈 바른 낱말에 ○표 하세요.

(1) 누룽지 ⎰냄새⎱가 구수해요.
　　　　 ⎱냄세⎰

(2) 배가 불러서 ⎰이따가⎱ 먹을게요.
　　　　　　　 ⎱있다가⎰

8 밑줄 친 낱말을 바르게 고쳐 쓰세요.

(1)

책상을 <u>정니하고</u> 있어요.

→ ▢▢▢▢

(2)
손을 들고 <u>행단보도</u>를 건너요.

→ ▢▢▢▢

2단계 24 받아쓰기

9 들려주는 말을 잘 듣고 띄어쓰기에 유의하여 받아쓰세요.

(1) [　][　][∨][　][　][∨][　][　][∨][　][　]

(2) [　][　][　][∨][　][　][　][　][　][.][　]

(3) [　][　][　][　][∨][　][　][　][　][.][　]

QR코드를 찍어
낱말 게임을
해 보세요.

2단계 24 낱말 게임

😊 맞은 개수 _____ /9개

111

스스로
붙임딱지

Day 25

한자 어휘

공기(空氣)

空(공)은 '비다', '없다', '하늘' 등을 뜻해요.

 → 空

움막 안 빈 곳의 모습에서 만들어진 글자예요.

空

空
빌 공

空(공)이 들어간 다음 어휘 중에서 아는 것에 ✔ 표시를 하세요.

☐ 공중　☐ 공상　☐ 공복

공 중	뜻 하늘과 땅 사이의 빈 곳.
빌 空　가운데 中	예 진수가 던진 공이 공중으로 날아갔어요.

공 상	뜻 이루어지기 힘든 일을 머릿속으로 생각하는 것. 또는 그런 생각.
빌 空　생각 想	예 미나는 공룡에 대한 책을 읽다 공상에 빠져들었어요.

공 복	뜻 배 속이 비어 있는 상태. 또는 그 배 속.
빌 空　배 腹	예 그 약은 공복에 먹어야 해요.

'공기'는 지구를 둘러싸고 있으며 사람이 숨을 쉴 때 들이마시고 내쉬는 모든 기체를 말해요.

氣
기운 기

● 氣(기)는 '기운', '힘', '공기' 등을 뜻해요

 → 氣

사람이 내뿜는 입김과 밥에서 김이 올라오는 모습에서 만들어진 글자예요.

氣(기)가 들어간 다음 어휘 중에서 아는 것에 ✔ 표시를 하세요.

☐ 전기   ☐ 용기   ☐ 향기

전 **기**
번개 電 기운 氣

뜻 빛, 열을 내거나 기계 등을 움직이는 데 쓰이는 에너지.
예 냉장고와 텔레비전은 전기를 이용해서 작동해요.

용 **기**
날랠 勇 기운 氣

뜻 씩씩하고 굳센 기운.
예 나는 충치 치료가 무서웠지만 용기를 냈어요.

향 **기**
향기 香 기운 氣

뜻 꽃, 향수 등에서 나는 좋은 냄새.
예 빨간 사과에서 달콤한 향기가 나요.

1 다음 뜻과 음에 알맞은 한자를 보기 에서 찾아 번호를 쓰세요.

보기　　　　① 食　　② 氣　　③ 空　　④ 活

(1) 빌 공 – ☐　　(2) 기운 기 – ☐

2 다음 뜻에 알맞은 낱말이 되도록 빈칸에 들어갈 글자를 쓰세요.

(1) 공 ☐ : 하늘과 땅 사이의 빈 곳.

(2) ☐ 기 : 꽃, 향수 등에서 나는 좋은 냄새.

(3) 공 ☐ : 오랫동안 음식을 먹지 않아 배 속이 비어 있는 상태.

3 빈칸에 들어갈 낱말을 보기 에서 찾아 쓰세요.

보기　　　　　공상　　　용기　　　전기

(1) 나는 엄마께 잘못한 일을 말할 ☐☐ 를 냈어요.
↳ 씩씩하고 굳센 기운.

(2) 윤서는 자신이 조선 시대 공주가 되는 ☐☐ 을 했어요.
↳ 이루어지기 힘든 것을 생각하는 것.

(3) 물 묻은 손으로 텔레비전 플러그를 만지면 ☐☐ 가 오를 수 있어요.
↳ 빛, 열을 내거나 기계 등을 움직이는 데 쓰이는 에너지.

[4~5] 다음 그림을 보고, 물음에 답하세요.

4 그림 속 빈칸에 '공(空)'과 '기(氣)' 가운데에서 알맞은 글자를 쓰세요.

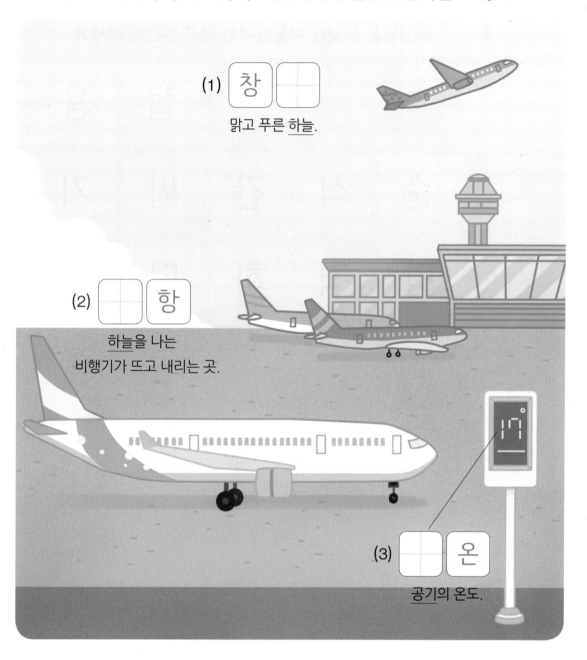

(1) 창 ☐
맑고 푸른 <u>하늘</u>.

(2) ☐ 항
<u>하늘</u>을 나는
비행기가 뜨고 내리는 곳.

(3) ☐ 온
<u>공기</u>의 온도.

5 빈칸에 들어갈 낱말을 쓰세요.

(1) 비행기가 ☐☐ 을 향해 날아오르고 있어요.

(2) 우리 가족은 제주도행 비행기를 타러 ☐☐ 에 갔어요.

(3) 오늘 아침 ☐☐ 은 섭씨 17도예요.

QR코드를 찍어
낱말 게임을
해 보세요.

2단계 25 낱말 게임

😊 맞은 개수 _____ /5개

스스로
붙임딱지

다음 뜻에 알맞은 낱말을 퍼즐판에서 찾고 빈칸에 쓰세요.

			잽	용
순	식	간	싸	기
감	격	하	다	
			공	복
절	구	직	업	

(1) 감 ☐ ☐ ☐ : 마음에 깊이 느끼어 매우 감동하다.

(2) ☐ 식 ☐ : 눈을 한 번 깜빡할 만큼의 아주 짧은 동안.

(3) 잽 ☐ ☐ : 눈치나 동작이 매우 빠르다.

(4) 절 ☐ : 곡식을 빻거나 찧고 떡을 치는 기구.

(5) ☐ 업 : 돈을 벌기 위해 정해 놓고 하는 일.

(6) 공 ☐ : 배 속이 비어있는 상태. 또는 그 배 속.

(7) ☐ 기 : 씩씩하고 굳센 기운.

알고 있는 어휘는
글에서 어떻게 쓰였는지 확인하고,
모르는 어휘는 글을 읽으며
재미있게 익혀 보아요!

6주 어휘 미리보기

뜻을 알고 있는 어휘에 ✓ 표 해 보세요.

		배울 내용	배울 어휘		공부한 날
Day 26	속담	벼 이삭은 익을수록 고개를 숙인다	☐ 검소하다 ☐ 자만심	☐ 겸손하다 ☐ 태연하다	월 일
Day 27	관용어	눈이 번쩍 뜨이다	☐ 한참 ☐ 군침 ☐ 작별	☐ 으리으리하다 ☐ 서성이다	월 일
Day 28	한자 성어	죽마고우(竹馬故友)	☐ 격려하다 ☐ 분하다 ☐ 분발하다	☐ 매정하다 ☐ 몰두하다	월 일
Day 29	교과 어휘	사람이 많이 모이는 곳에서의 질서	☐ 주문하다 ☐ 피해 ☐ 다짐하다	☐ 주의 ☐ 떠올리다	월 일
Day 30	한자 어휘	소중(所重)	☐ 주소 ☐ 소유 ☐ 중량	☐ 소감 ☐ 중요 ☐ 존중	월 일

속담

벼 이삭은 익을수록 고개를 숙인다

아는 어휘에 ✔ 표시를 해 보고, 어휘의 뜻을 생각하며 글을 읽어 보세요.

☐ 검소하다　☐ 겸손하다　☐ 자만심　☐ 태연하다

😊 공부한 날

　　　월　　　일

❶ **검소하게**: 사치스럽거나 화려하지 않고 평범하게.

❷ **겸손해서**: 남을 존중하고 자기를 낮추는 마음이나 태도가 있어서.

❸ **자만심**: 자기에 관한 것을 스스로 자랑하며 잘난 체하는 마음.

❹ **좌우명**: 항상 잊지 않고 자신의 생활을 이끌어 가는 말.

❺ **태연하게**: 당연히 머뭇거리거나 두려워할 상황에서 태도나 얼굴빛이 아무렇지도 않게.

❻ **허둥지둥**: 정신을 차릴 수 없을 만큼 이리저리 헤매며 다급하게 서두르는 모양.

❼ **벼 이삭은 익을수록 고개를 숙인다**: 훌륭한 사람일수록 겸손하고 남 앞에서 자기를 내세우지 않는다.

❽ **거만하지 않고**: 잘난 체하며 남을 업신여기는 데가 없고.

조선 시대 때 '맹사성'이라는 사람이 있었어요. 맹사성은 낡은 집에서 ❶**검소하게** 살고, ❷**겸손해서** 많은 사람에게 존경을 받았어요. 그러나 젊은 시절 맹사성은 젊은 나이에 과거에 합격하고 ❸**자만심**에 가득 차 있었어요.

어느 날, 맹사성은 고을의 훌륭한 스님을 찾아갔어요.

"스님, 고을을 다스려야 하는 저에게 알맞은 ❹**좌우명**이 무엇입니까?"

"그야 간단하지요. '착한 일을 많이 하자.'입니다."

"그것은 어린아이도 다 아는 것인데 저에게 하실 말씀이 그게 다입니까?"

맹사성은 자리에서 일어났어요. 그러자 스님은 차나 한 잔 마시고 가라며 맹사성을 붙잡았고, 맹사성은 못 이기는 척 다시 자리에 앉았어요. 그런데 스님은 맹사성의 찻잔에 찻물이 넘쳐흐르는데도 계속 차를 따랐어요.

"스님, 찻물이 흘러넘쳐 방바닥을 적십니다!"

스님은 ❺**태연하게** 계속 차를 따르며 맹사성을 지그시 바라보았어요.

"찻물이 넘쳐 방바닥을 망치는 것은 알면서 지식이 넘쳐 인품을 망치는 것은 왜 모르십니까?"

맹사성은 스님의 말에 부끄러워 얼굴이 빨개졌어요. 그리고 ❻**허둥지둥** 방을 나가려다 문틀에 머리를 세게 부딪쳤어요. 이 모습을 본 스님이 미소를 지으며 말했어요.

"❼**벼 이삭은 익을수록 고개를 숙인다**고 하지요. 고개를 숙이면 머리를 부딪칠 일이 없습니다."

그 뒤로 맹사성은 ❽**거만하지 않고** 늘 겸손하게 살았어요.

이야기 속 상식

'이삭'은 벼에서 열매가 열리는 부분이에요. 벼 이삭은 익을수록 무거워져서 아래로 처져요. 이런 모습에서 '벼 이삭은 익을수록 고개를 숙인다'라는 속담이 나왔어요.

내용 이해하기

1 다음 맹사성의 모습에 알맞은 말을 글에서 찾아 쓰세요.

맹사성 대감, 어찌 이리 초라하게 사시오?

이런 집조차 갖지 못한 백성을 생각하면 부끄러울 뿐이오.

➜ 맹사성은 낡은 집에서 ☐☐☐☐ 살았어요.

2 스님이 맹사성에게 알맞은 좌우명이라고 한 것을 고르세요. (   )

① 재물을 많이 모으자.   ② 착한 일을 많이 하자.   ③ 훌륭한 업적을 남기자.

3 빈칸에 들어갈 말을 글에서 찾아 쓰세요.

맹사성이 거만한 태도를 보이자 스님은 찻잔에 찻물이 넘치도록 따르며 충고했어요. 맹사성은 스님의 말에 부끄러워 급히 나가려다 문틀에 머리를 세게 부딪쳤어요. 이 모습을 본 스님은 ☐☐☐은 익을수록 고개를 숙인다며 고개를 숙이면 머리를 부딪칠 일이 없다고 말했어요.

119

4 다음 낱말의 알맞은 뜻을 찾아 선으로 이으세요.

(1) 겸손하다 •

• ① 남을 존중하고 자기를 낮추는 마음이나 태도가 있다.

(2) 태연하다 •

• ② 당연히 머뭇거릴 상황에서 태도나 얼굴빛이 아무렇지도 않다.

5 문장에 어울리는 낱말을 ⬜ 안에서 골라 ○표 하세요.

(1) 남보다 잘났다는 자만심 / 존경 에 빠지지 않아야 해요.

(2) 우리 가족은 물건을 아껴 쓰며 검소하게 / 거만하게 살아요.

6 다음 속담과 어울리는 상황을 고르세요. ( )

벼 이삭은 익을수록 고개를 숙인다

① 아라야, 그림 대회에서 상 받은 것 축하해. / 당연히 내가 받을 줄 알았어.

② 아라야, 그림 대회에서 상 받은 것 축하해. / 고마워. 운이 좋았나 봐. 네 그림도 정말 멋져!

7 다음 문장에 들어갈 바른 낱말에 ○표 하세요.

(1) 아빠는 눈을 { 지그시 / 지긋이 } 감으셨어요.

(2) 나는 책상 모서리에 무릎을 { 세게 / 쎄게 } 부딪쳤어요.

8 밑줄 친 낱말을 바르게 고쳐 쓰세요.

(1) 세면대에서 물이 흘러넘처요.

→ ☐☐☐☐☐

(2) 나는 선생님께 고개를 수기면서 인사했어요.

→ ☐☐☐☐

9 들려주는 말을 잘 듣고 띄어쓰기에 유의하여 받아쓰세요.

(1) ☐☐☐☐∨☐☐☐☐☐?☐☐☐

(2) ☐☐∨☐∨☐∨☐☐∨☐☐

(3) ☐∨☐☐∨☐☐☐☐

QR코드를 찍어
낱말 게임을
해 보세요.

😊 맞은 개수 _____ /9개

121

관용어

눈이 번쩍 뜨이다

2단계 27 지문 듣기

아는 어휘에 ✔ 표시를 해 보고, 어휘의 뜻을 생각하며 글을 읽어 보세요.

☐ 한참 ☐ 으리으리하다 ☐ 군침 ☐ 서성이다 ☐ 작별

🕐 **공부한 날**

월　　　일

❶ **한참**: 시간이 꽤 지나는 동안.

❷ **으리으리하고**: 모양이나 규모가 굉장하고.

❸ **군침**: 주로 무엇이 먹고 싶을 때 입 안에 고이는 침.

❹ **눈이 번쩍 뜨였어요**: 정신이 갑자기 들었어요.

❺ **한숨 돌린**: 어려운 고비를 넘기고 여유를 가진.

❻ **서성이다**: 한곳에 서 있지 않고 주위를 왔다 갔다 하다.

❼ **작별**: 서로 인사를 나누고 헤어짐.

　　어느 날 도시 쥐가 시골 쥐의 집에 놀러 왔어요. 시골 쥐는 도시 쥐를 반갑게 맞이하며 식탁에 도토리와 옥수수를 정성껏 차렸어요. 도시 쥐는 옥수수를 한 입 베어 먹고 얼굴을 찌푸렸어요.

　　"미안하지만 맛이 없어서 못 먹겠어. 매일 이런 것만 먹고 어떻게 사니? 도시에는 맛있는 것이 정말 많아. 나와 함께 우리 집에 가자."

　　도시 쥐와 시골 쥐는 ❶**한참**을 걸어서 도시 쥐의 집에 도착했어요. 도시 쥐의 집은 ❷**으리으리하고** 멋졌어요.

　　도시 쥐의 집에는 꿀, 치즈, 케이크, 과일 등 온갖 음식이 가득했어요. 시골 쥐는 맛있는 음식들을 보고 절로 ❸**군침**이 돌았어요. 특히 시골 쥐가 가장 좋아하는 샛노란 치즈를 보고 시골 쥐의 ❹**눈이 번쩍 뜨였어요**. 신이 난

시골 쥐는 치즈 한 덩어리를 집어 들었어요. 그때 갑자기 문이 벌컥 열리며 주인아저씨가 들어왔어요. 깜짝 놀란 쥐들은 의자 밑에 숨었어요.

　　주인아저씨가 나가고, ❺**한숨 돌린** 시골 쥐는 아까 먹으려던 치즈를 다시 집었어요. 그런데 이번에는 '야옹' 하며 고양이가 나타났어요. 쥐들은 재빨리 구멍에 숨었어요. 고양이는 구멍 앞에서 한참을 ❻**서성이다** 가 버렸어요.

　　"이만 집에 가야겠어. 나는 도토리와 옥수수만 먹어도 마음 편히 지낼 수 있는 우리 집이 훨씬 좋아."

　　시골 쥐는 도시 쥐에게 ❼**작별** 인사를 하고 집으로 돌아갔답니다.

내용 이해하기

1 다음 식탁의 주인을 찾아 선으로 이으세요.

(1)  •

(2)  •

• ① 시골 쥐

• ② 도시 쥐

2 빈칸에 들어갈 말을 글에서 찾아 쓰세요.

시골 쥐는 도시 쥐의 집에 온갖 음식이 가득한 것을 보고 놀랐어요. 그 중에서 샛노란 치즈를 보고 [ ][ ][ ][ ] 뜨였어요. 샛노란 치즈는 시골 쥐가 가장 좋아하는 음식이었기 때문이에요.

3 시골 쥐가 자신의 집으로 돌아간 까닭을 고르세요. ( )

① 주인아저씨가 집으로 돌아가라고 했기 때문에

② 집에서 엄마 쥐가 해 주신 음식을 먹고 싶었기 때문에

③ 도토리와 옥수수만 먹어도 마음 편히 지낼 수 있는 자신의 집이 좋았기 때문에

4 다음 뜻에 알맞은 낱말을 보기 에서 찾아 빈칸에 쓰세요.

보기   군침   작별   한참

(1) ☐☐ : 시간이 꽤 지나는 동안.

(2) ☐☐ : 서로 인사를 나누고 헤어짐.

(3) ☐☐ : 주로 무엇이 먹고 싶을 때 입 안에 고이는 침.

5 밑줄 친 낱말과 바꾸어 쓸 수 있는 것을 고르세요.

(1) 서울에는 으리으리한 건물이 많아요. (   )

　① 크고 높은 　　　　　　　　　　② 작고 낮은

(2) 소미가 운동장에서 서성이고 있었어요. (   )

　① 누군가를 기다리고 　　　　　　② 주위를 왔다 갔다 하고

6 다음 글을 읽고, 빈칸에 들어갈 말을 고르세요. (   )

　　알라딘은 마법사의 부탁을 받고 동굴로 들어갔어요. 동굴 속에는 보물들이 가득했고, 알라딘은 보물을 보고 깜짝 놀라 [   ]. 하지만 알라딘은 마법사의 부탁을 잊지 않고 먼저 보물 속에서 낡은 램프를 찾았어요.

① 목이 탔어요 　　　② 배가 아팠어요 　　　③ 눈이 번쩍 뜨였어요

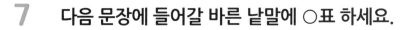
7 다음 문장에 들어갈 바른 낱말에 ○표 하세요.

(1) 구슬을 { 집어 / 짚어 } 들었어요.

(2) 약이 써서 얼굴을 { 지푸렸어요 / 찌푸렸어요 }.

(3) 잘 익은 사과를 한 입 { 배어 / 베어 } 먹었어요.

8 <u>틀린</u> 글자가 있는 낱말을 <u>두 개</u> 찾아 번호를 쓰고 바르게 고쳐 쓰세요.

> 시골 쥐는 도시 쥐와 ① <u>작별</u> 인사를 하고 시골 마을에 돌아왔어요. 이웃들은 모두 시골 쥐를 ② <u>방갑게</u> 맞아 주었어요. 시골 쥐는 편안한 집에서 도토리와 옥수수를 먹으며 마음 ③ <u>편이</u> 지냈어요. 가끔 ④ <u>샛노란</u> 치즈가 생각나기는 했지만요.

(1) [ ] → [   ]   (2) [ ] → [   ]

9 들려주는 말을 잘 듣고 띄어쓰기에 유의하여 받아쓰세요.

(1) [ ][ ][∨][ ][ ][∨][ ][ ][ ][ ][ ][ ][.][ ]

(2) [ ][ ][ ][∨][ ][ ][∨][ ][ ][∨][ ][ ]

(3) [ ][ ][∨][ ][ ][ ][ ][ ][ ][ ]

한자 성어

죽마고우(竹대 죽 馬말 마 故연고 고 友벗 우)

2단계 28 지문 듣기

아는 어휘에 ✔ 표시를 해 보고, 어휘의 뜻을 생각하며 글을 읽어 보세요.

☐ 격려하다　☐ 매정하다　☐ 분하다　☐ 몰두하다　☐ 분발하다

⏱ 공부한 날

　　　월　　　일

❶ **죽마고우**: 대나무로 만든 말을 타고 놀던 친구라는 뜻으로, 어릴 때부터 같이 놀며 자란 가까운 친구.

❷ **격려하며**: 용기나 의욕이 생기도록 기운을 북돋아 주며.

❸ **급제했어요**: 과거 시험에 합격했어요.

❹ **관리**: 나라의 일을 맡아 하는 사람.

❺ **매정하게**: 얄미울 정도로 쌀쌀맞고 인정이 없게.

❻ **분해서**: 억울한 일을 당하거나 일이 마음대로 되지 않아 화가 나고 기분이 나빠서.

❼ **몰두했어요**: 다른 일에 관심을 가지지 않고 한 가지 일에만 집중했어요.

❽ **분발해서**: 마음과 힘을 다하여 열심히 해서.

　　바위와 나무는 한 마을에서 어릴 때부터 함께한 ❶**죽마고우**였어요. 둘은 서로를 ❷**격려하며** 열심히 공부했지만, 바위만 과거에 ❸**급제했어요**. 과거에 급제한 바위는 ❹**관리**가 되어 지방으로 떠나게 되었어요. 바위는 마을에 남게 된 나무의 손을 잡고 말했어요.

　　"열심히 공부해서 꼭 과거에 급제해. 힘든 일이 있으면 언제든 찾아와."

　　나무는 과거 시험에서 계속 떨어졌고, 점점 게으름을 피웠어요. 그러는 사이 집안 형편이 어려워져 당장 먹을 것이 없었어요. 나무는 바위를 찾아갔어요.

　　"잘 지냈니? 나는 시험에 계속 떨어져서 형편이 매우 어려워. 나 좀 도와줘."

　　하지만 그토록 다정했던 바위는 ❺**매정하게** 친구의 부탁을 거절했어요. 나무는 서럽고 ❻**분해서** 집으로 가던 발걸음을 돌려 절로 향했고, 공부에만 ❼**몰두했어요**. 마침내 나무는 과거 시험에 합격했어요. 나무가 기쁜 마음으로 집에 돌아오니, 바위가 집에 와 있었어요.

　　"나무야. 지난번에 매정하게 대해서 미안해. 네가 ❽**분발해서** 공부하게 하려고 그런 것이었어. 그래도 내가 그동안 너의 식구들을 돌보았단다. 그러니 나를 용서해 주겠니?"

　　"네가 우리 식구들을 돌봐 준 것도 모르고 너를 미워해서 내가 더 미안해. 정말 고마워. 우리 앞으로 더 우애 좋게 지내자."

　　둘의 우정은 더 깊어졌고, 두 친구 모두 훌륭한 관리가 되었어요.

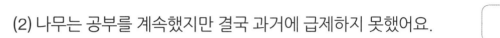

내용 이해하기

1 글의 내용으로 맞는 것에 ○표, 맞지 않는 것에 ×표 하세요.

(1) 바위가 과거에 급제했을 때 나무는 과거에서 떨어졌어요. ☐

(2) 나무는 공부를 계속했지만 결국 과거에 급제하지 못했어요. ☐

(3) 바위는 과거에서 떨어진 나무가 부끄러워서 매정하게 대했어요. ☐

2 다음 상황에서 나무의 마음에 알맞은 낱말을  에서 찾아 빈칸에 쓰세요.

보기	무서운	서러운	고마운	매정한

(1) 관리가 된 바위에게 도와달라고 부탁했는데 거절당했을 때 ☐☐☐ 마음

(2) 절에서 공부하는 동안 바위가 자신의 식구들을 돌보아 준 것을 알았을 때 ☐☐☐ 마음

3 빈칸에 들어갈 말을 글에서 찾아 쓰세요.

어릴 때부터 ☐☐☐☐ 로 지낸 두 친구가 진심으로 서로를 위하고 우정을 지키는 모습이 좋아 보였어요.

4 다음 뜻에 알맞은 낱말을 보기 에서 찾아 빈칸에 쓰세요.

> 보기   분하다   격려하다   분발하다

(1) [   ] : 마음과 힘을 다하여 열심히 하다.

(2) [   ] : 용기나 의욕이 생기도록 기운을 북돋아 주다.

(3) [   ] : 억울한 일을 당하거나 일이 마음대로 되지 않아 화가 나고
기분이 나쁘다.

5 밑줄 친 낱말과 바꾸어 쓸 수 있는 것을 찾아 선으로 이으세요.

(1) 흥부를 내쫓은 놀부는 정말 매정했다. •   • ① 집중했다

(2) 나는 장난감 조립에 몰두했다. •   • ② 인정이 없었다

6 미나에게 '죽마고우'인 친구의 이름을 빈칸에 쓰세요.

> 나는 세 살 때부터 동수와 친하게 지내서 동수에게는
> 내 비밀을 모두 이야기할 수 있어. 민수는 나와 최근에
> 친해져서 미술 학원에 같이 다니고 있어.

미나의 죽마고우: [   ]

7 다음 문장에 들어갈 바른 낱말에 ○표 하세요.

(1) 나는 수학 공부를 { 열심이 / 열심히 } 했어요.

(2) 나는 숙제를 하지 않고 { 개으름 / 게으름 } 을 피웠어요

8 밑줄 친 낱말을 바르게 고쳐 쓰세요.

(1)

친구를 경려했어요.

→

(2)

흥부네는 <u>혐편</u>이 어려웠어요.

→

2단계 28 받아쓰기

9 들려주는 말을 잘 듣고 띄어쓰기에 유의하여 받아쓰세요.

(1)

(2)

(3)

QR코드를 찍어
낱말 게임을
해 보세요.

2단계 28 낱말 게임

맞은 개수 _____ /9개

스스로
붙임딱지

사람이 많이 모이는 곳에서의 질서

아는 어휘에 ✔ 표시를 해 보고, 어휘의 뜻을 생각하며 글을 읽어 보세요.

☐ 주문하다 ☐ 주의 ☐ 피해 ☐ 떠올리다 ☐ 다짐하다

🕐 공부한 날

월   일

❶ **주문한**: 물건을 만들거나 파는 사람에게 물건의 종류, 양, 모양 등을 말해 주고 그렇게 만들어 달라고 부탁한.

❷ **주의**: 경고나 충고의 뜻으로 알림.

❸ **피해**: 손해를 입음. 또는 그 손해.

❹ **떠올렸어요**: 기억을 되살리거나 잘 생각나지 않던 것을 생각해 냈어요.

❺ **다짐했어요**: 마음을 굳게 먹거나 뜻을 정했어요.

석영이는 도서관에서 자동차 그림책을 보고 있었어요. 그리고 석영이의 뒤쪽에서 두 친구가 책 한 권을 같이 보고 있었어요.

"야! 내가 또 책 가져올게."

한 친구가 큰 소리로 말하고 의자를 뒤로 쿵 밀며 일어났어요. 석영이는 깜짝 놀라 고개를 들었어요.

'도서관에서는 작은 소리로 이야기하고 물건을 소중히 다루어야 하는데······.'

두 친구들은 도서관 이용 수칙을 잊어버렸나 봐요.

도서관에서 나온 석영이는 이모와 떡볶이 가게에 갔어요. ❶**주문한** 떡볶이가 나왔어요. 이모는 떡볶이를 맛있게 드셨지만, 석영이에게는 떡볶이가 너무 매웠어요. 석영이는 물을 뜨러 정수기가 있는 쪽으로 뛰어가다 식당 아주머니와 부딪쳤어요.

"얘야, 이곳에서 뛰면 안 돼."

식당 아주머니가 석영이에게 ❷**주의**를 주셨어요.

"죄송합니다."

석영이는 얼굴이 빨개졌어요. 도서관에서 본 두 친구처럼 자신도 **사람이 많이 모이는 곳에서 지켜야 할 질서**를 지키지 못했다는 생각이 들었기 때문이에요. 석영이는 도서관, 식당, 지하철 등 사람이 많이 모이는 곳에서 뛰어다니거나 큰 소리로 이야기하는 것이 다른 사람들에게 ❸**피해**를 주는 행동이라는 선생님 말씀을 ❹**떠올렸어요**. 그리고 앞으로 질서를 더 잘 지키겠다고 ❺**다짐했어요**.

1 도서관에서 만난 두 친구가 지키지 <u>않은</u> 수칙을 고르세요. (　　　)

① 음식을 먹으면 안 돼요.

② 큰 소리로 떠들면 안 돼요.

③ 책을 빌릴 때는 줄을 서야 해요.

2 다음 상황에서 석영이의 마음에 알맞은 낱말을 보기 에서 찾아 빈칸에 쓰세요.

보기

신나서

부끄러워서

안타까워서

→ 석영이는 너무 [　　　　　　] 얼굴이 빨개졌어요.

3 석영이가 쓴 일기의 빈칸에 들어갈 말을 고르세요. (　　　)

6월 7일　날씨 맑음

　오늘 이모와 떡볶이를 먹었다. 그런데 내가 물을 뜨러 뛰어가다가 식당 아주머니와 부딪쳤다. 그곳에서 뛰면 안 된다는 아주머니 말씀을 듣고, 나는 얼굴이 빨개졌다. 사람이 많이 모이는 곳에서 [　　　　　　].

① 말을 하지 않아야겠다　② 책을 많이 읽어야겠다　③ 질서를 잘 지켜야겠다

4 다음 낱말의 알맞은 뜻을 찾아 선으로 이으세요.

(1) 주의 •

(2) 피해 •

• ① 손해를 입음. 또는 그런 손해.

• ② 경고나 충고의 뜻으로 알림.

5 빈칸에 들어갈 낱말을 보기 에서 찾아 쓰세요.

보기   다짐했다   주문했다   떠올렸다

(1) 분식집에서 김밥과 라면을 [   ].

↳ 물건을 파는 사람에게 그 물건을 만들어 달라고 부탁했다.

(2) 길거리에 쓰레기를 버리지 않겠다고 [   ].

↳ 마음을 굳게 먹었다.

(3) 나는 실내화를 챙겨오라는 엄마 말씀을 [   ].

↳ 잘 생각나지 않던 것을 생각해 냈다.

6 다음 상황에서 지켜야 할 질서로 알맞은 것을 보기 에서 찾아 번호를 쓰세요.

보기   ① 낙서를 하지 않아요.   ② 차례대로 줄을 서요.

③ 작은 소리로 이야기해요.   ④ 뛰지 않고 걸어 다녀요.

(1)  [ ]

(2)  [ ]

(3)  [ ]

7 다음 문장에 들어갈 바른 낱말에 ○표 하세요.

(1) 내가 접시를 { 가져올게 / 가져올께 }.

(2) 이 라면은 나에게 { 매워요 / 메워요 }.

(3) 도서관 물건을 소중히 { 다루어야 / 달우어야 } 해요.

8 밑줄 친 낱말을 바르게 고쳐 쓰세요.

(1) 나는 언니와 <u>가치</u> 놀았어요.

→ ☐☐

(2) 서준이는 신발 <u>가개</u>에 갔어요.

→ ☐☐

2단계 29 받아쓰기

9 들려주는 말을 잘 듣고 띄어쓰기에 유의하여 받아쓰세요.

(1) ☐☐☐☐ ∨ ☐☐ ∨ ☐ ∨ ☐ . ☐☐

(2) ☐☐☐ ∨ ☐☐ ∨ ☐☐☐☐ ∨ ☐☐

(3) ☐☐☐ ∨ ☐☐☐☐ ∨ ☐☐☐☐ . ☐

QR코드를 찍어
낱말 게임을
해 보세요.

2단계 29 낱말 게임

맞은 개수 _____ /9개

스스로
붙임딱지

30

한자 어휘

소중(所重)

● 所(소)는 '장소', '방법' 등을 뜻해요.

 → 所

통나무가 도끼에 찍혀 벌어진 모습에서 만들어진 글자예요.

所
바 소

所(소)가 들어간 다음 어휘 중에서 아는 것에 ✔ 표시를 하세요.

☐ 주소 ☐ 소감 ☐ 소유

주	소	
살 住	바 所	뜻 집이나 직장 등이 있는 곳을 행정 구역으로 나타낸 이름. 예 택배 상자에 우리 집 주소가 적혀 있어요.

소	감	
바 所	느낄 感	뜻 어떤 일에 대하여 느끼고 생각한 것. 예 축구부 주장이 우승 소감을 말했어요.

소	유	
바 所	있을 有	뜻 자기의 것으로 가지고 있음. 또는 가지고 있는 물건. 예 나도 언니처럼 내 소유의 휴대 전화를 갖고 싶어요.

'소중'은 매우 귀중한 것을 말해요.

● 重(중)은 '무겁다', '귀중하다' 등을 뜻해요.

重

등에 짐을 지고 서 있는 사람의 모습에 만들어진 글자예요.

重

무거울 중

重(중)이 들어간 다음 어휘 중에서 아는 것에 ✔ 표시를 하세요.

☐ 중요   ☐ 중량   ☐ 존중

중 요
무거울 重   요구할 要

뜻 귀중하고 꼭 필요함.
예 저는 책을 읽을 때 중요한 부분에 밑줄을 그어요.

중 량
무거울 重   헤아릴 量

뜻 물건의 무거운 정도.
예 이 설탕 한 봉지의 중량은 일 킬로그램이에요.

존 중
높을 尊   무거울 重

뜻 의견이나 사람을 높이어 귀중하게 여김.
예 나와 다른 의견을 존중하는 태도를 가져야 해요.

---

1 다음 한자의 알맞은 음과 뜻을 선으로 이으세요.

(1) 所 •   •① 소 •   •㉮ 무겁다

(2) 重 •   •② 중 •   •㉯ 바

2 다음 뜻에 알맞은 낱말을 〔보기〕에서 찾아 빈칸에 쓰세요.

〔보기〕   소감   소유   중요

(1) ☐☐ : 귀중하고 꼭 필요함.

(2) ☐☐ : 자기의 것으로 가지고 있음.

(3) ☐☐ : 어떤 일에 대하여 느끼고 생각한 것.

3 빈칸에 들어갈 낱말을 〔보기〕에서 찾아 쓰세요.

〔보기〕   주소   중량   존중

(1) 누구나 다른 사람에게 ☐☐ 받아야 해요.
↳ 사람을 높이어 귀중하게 여김.

(2) 이 화물차는 저 자동차보다 ☐☐ 이 많이 나가요.
↳ 물건의 무거운 정도.

(3) 택배를 보낼 때에는 받는 사람의 이름, ☐☐ , 전화번호를 알아야 해요.
↳ 집, 직장 등이 있는 곳을 행정 구역으로 나타낸 이름.

4 다음 빈칸에 '소(所)'와 '중(重)' 가운데에서 알맞은 글자를 쓰세요.

길을 가는 사람들이
잠깐 쉴 수 있도록 만든 곳.

(1) 우리 가족을 태운 고속버스가 잠시

휴 게 ☐ 에 들렀어요.

자동차 등에 기름을 넣는 곳.

(2) 차에 기름을 넣으러

주 유 ☐ 에 갔어요.

所 소 중 重

(3) 부모님은 나에게 가장 귀 ☐ 한

분들이에요.

귀하고 <u>중요함.</u>

(4) 나는 작년보다 체 ☐ 이

삼 킬로그램 늘었어요.

몸의 무게.

QR코드를 찍어
낱말 게임을
해 보세요.

2단계 30 낱말 게임

 맞은 개수 _____ /4개

137

정답과 해설 18쪽

다음 뜻에 알맞은 낱말을 퍼즐판에서 찾고 빈칸에 쓰세요.

작	소	유	격	
별			려	겸
중	량		하	손
분	발	하	다	하
	다	짐	하	다

(1) 겸 ☐ ☐ ☐ : 남을 존중하고 자기를 낮추는 마음이나 태도가 있다.

(2) ☐ 별 : 서로 인사를 나누고 헤어짐.

(3) 격 ☐ ☐ ☐ : 용기나 의욕이 생기도록 기운을 북돋아 주다.

(4) ☐ 발 ☐ ☐ : 마음과 힘을 다하여 열심히 하다.

(5) ☐ 짐 ☐ ☐ : 마음을 굳게 먹거나 뜻을 정하다.

(6) 소 ☐ : 자기의 것으로 가지고 있음.

(7) 중 ☐ : 물건의 무거운 정도.

알고 있는 어휘는
글에서 어떻게 쓰였는지 확인하고,
모르는 어휘는 글을 읽으며
재미있게 익혀 보아요!

7주 어휘 미리보기

뜻을 알고 있는 어휘에 ✔ 표 해 보세요.

	배울 내용	배울 어휘		공부한 날
Day 31	속담 **천 리 길도 한 걸음부터**	☐ 재산 ☐ 농담 ☐ 방정맞다	☐ 근심 ☐ 지나치다	월 일
Day 32	관용어 **귀에 못이 박히다**	☐ 명심하다 ☐ 살며시 ☐ 헛일	☐ 뾰로통하다 ☐ 다급하다 ☐ 희망	월 일
Day 33	한자 성어 **일취월장(日就月將)**	☐ 꼽히다 ☐ 정색하다 ☐ 가지런하다	☐ 꾸리다 ☐ 마치다	월 일
Day 34	교과 어휘 **여러 나라의 전통**	☐ 의상 ☐ 옷깃 ☐ 기후	☐ 가옥 ☐ 챙 ☐ 가축	월 일
Day 35	한자 어휘 **공장(工場)**	☐ 공업 ☐ 공사 ☐ 퇴장	☐ 공구 ☐ 입장 ☐ 목장	월 일

천 리 길도 한 걸음부터

2단계 31 지문 듣기

아는 어휘에 ✔ 표시를 해 보고, 어휘의 뜻을 생각하며 글을 읽어 보세요.

☐ 재산 ☐ 근심 ☐ 농담 ☐ 지나치다 ☐ 방정맞다

🕐 **공부한 날**

월   일

❶ **재산**: 가지고 있는 돈이나 돈으로 바꿀 수 있는 것.

❷ **까먹을까**: 재산, 돈 등을 써서 없앨까.

❸ **근심**: 좋지 않은 일이 생길 지도 모른다는 두렵고 불안한 마음.

❹ **볍씨**: 벼의 씨.

❺ **불려**: 양이나 수를 많아지게 해.

❻ **농담**: 장난으로 다른 사람을 놀리거나 웃기려고 하는 말.

❼ **지나치시군**: 일정한 기준을 넘어 정도가 심하시군.

❽ **방정맞은**: 말이나 행동이 점잖거나 조심스럽지 못하고 함부로 까불어서 가벼운.

❾ **천 리 길도 한 걸음부터**: 아무리 큰 일이라도 작은 일부터 시작된다.

어느 마을에 부자 할아버지가 살았어요. 할아버지에게는 아들이 세 명이나 있었지만, 하나같이 머리 쓰는 일을 싫어하고 놀기만 했어요. 그래서 할아버지는 아들들이 ❶**재산을** ❷**까먹을까** ❸**근심**이 가득했어요.

한참을 고민하던 할아버지는 세 며느리들에게 ❹**볍씨**를 한 톨씩 주고 볍씨로 재산을 ❺**불려** 보라고 말했어요.

"흥! 이 작은 볍씨 한 톨로 재산을 불리라니! ❻**농담**도 ❼**지나치시군.**"

입만 열면 불평하는 첫째 며느리는 콧방귀를 뀌며 볍씨를 마당에 휙 던졌어요.

"볍씨 한 톨로 무얼 한담. 그냥 내가 먹어야겠다. 호호!"

❼**방정맞은** 둘째 며느리는 볍씨를 꿀꺽 삼켰어요.

다른 두 며느리와 달리 지혜로운 셋째 며느리는 볍씨로 재산을 불릴 방법을 골똘히 생각했어요.

"별 볼 일 없는 볍씨 한 톨로 어떻게 재산을 불려? 포기해."

첫째 며느리가 셋째 며느리에게 말했어요.

"형님, ❾**'천 리 길도 한 걸음부터'**라고 했어요. 제가 볍씨로 큰 재산을 만들어 볼게요."

몇 년 뒤 셋째 며느리는 볍씨로 재산을 크게 불렸어요. 셋째 며느리는 볍씨로 참새를 잡아 달걀로 바꾸고, 달걀로 병아리와 암탉을 얻었어요. 그리고 그것들을 길러서 돼지와 소를 사고팔아 논까지 샀답니다.

이야기 속 상식

'리'는 거리를 나타내는 단위이고, 천 리는 약 363 킬로미터 정도예요. 서울에서 부산까지의 거리와 비슷한, 먼 거리예요.

1 세 며느리의 성격으로 알맞은 낱말을 보기 에서 찾아 번호를 쓰세요.

> 보기
>
> ① 방정맞다
> ② 지혜롭다
> ③ 불평이 많다

(1) 첫째 며느리 – ☐

(2) 둘째 며느리 – ☐

(3) 셋째 며느리 – ☐

2 세 며느리가 볍씨를 가지고 한 일을 찾아 선으로 이으세요.

(1) 첫째 며느리 •

(2) 둘째 며느리 •

(3) 셋째 며느리 •

• ① 볍씨를 꿀꺽 삼켰어요.

• ② 볍씨로 재산을 불렸어요.

• ③ 볍씨를 마당에 휙 던졌어요.

3 빈칸에 들어갈 말을 보기 에서 찾아 번호를 쓰세요.

> 보기 ① 볍씨로 참새를 잡은 것   ② 볍씨로 큰 재산을 만드는 것

'천 리 길도 한 걸음부터'는 아무리 큰 일이라도 작은 일부터 시작된다는 뜻의 속담이에요. 셋째 며느리의 이야기에서 '천 리 길'은 (1) ☐ 이고, '한 걸음'은 (2) ☐ 이에요.

4 다음 낱말의 알맞은 뜻을 찾아 선으로 이으세요.

(1) 농담 •

• ① 가지고 있는 돈이나 돈으로 바꿀 수 있는 것.

(2) 근심 •

• ② 장난으로 다른 사람을 놀리거나 웃기려고 하는 말.

(3) 재산 •

• ③ 좋지 않은 일이 생길지도 모른다는 두렵고 불안한 마음.

5 빈칸에 들어갈 낱말을 보기 에서 찾아 쓰세요.

보기

방정맞다
지나치다

(1) 촐랑거리는 아이의 모습이 .

↳ 행동이 점잖지 못하고 가볍다.

(2) 형은 장난감에 대한 욕심이 .

↳ 정도가 심하다.

6 다음 대화를 읽고, 빈칸에 들어갈 속담을 고르세요. (   )

아빠, 산이 정말 높아요. 정상까지 올라갈 수 있을까요?

'   '라는 말이 있어. 천천히 걷다 보면 정상에 오를 수 있단다.

① 천리 길도 한 걸음부터
② 호랑이도 제 말 하면 온다
③ 돌다리도 두들겨 보고 건너라

7 다음 문장에 들어갈 바른 낱말에 ○표 하세요.

(1) 돌쇠는 방귀를 { 끼고 / 꾸고 } 방문을 닫았어요.

(2) 아들은 물려받은 재산을 크게 { 부렸어요 / 불렸어요 }.

(2) 아빠의 얼굴에 { 근심 / 금심 } 이 가득했어요.

8 밑줄 친 낱말을 바르게 고쳐 쓰세요.

(1)
언니는 침을 <u>꿀걱</u> 삼켰어요.

→ ☐ ☐

(2)
아이는 무언가를 <u>골또리</u> 생각했어요.

→ ☐ ☐ ☐

2단계 31 받아쓰기

9 들려주는 말을 잘 듣고 띄어쓰기에 유의하여 받아쓰세요.

(1) ☐ ☐ ☐ ∨ ☐ ☐ ☐ ☐ ☐ . ☐ ☐ ☐

(2) ☐ ☐ ∨ ☐ ∨ ☐ ☐ ∨ ☐ ∨ ☐ ☐ .

(3) ☐ ☐ ☐ ∨ ☐ ☐ ∨ ☐ ☐ ☐ .

QRコ드를 찍어
낱말 게임을
해 보세요.

2단계 31 낱말 게임

😊 맞은 개수 _____ /9개

143

스스로
붙임딱지

관용어

귀에 못이 박히다

2단계 32 지문 듣기

아는 어휘에 ✔ 표시를 해 보고, 어휘의 뜻을 생각하며 글을 읽어 보세요.

☐ 명심하다 　 ☐ 뽀로통하다 　 ☐ 살며시 　 ☐ 다급하다 　 ☐ 헛일 　 ☐ 희망

⏰ 공부한 날

　　월　　　일

❶ **명심해야**: 잊지 않도록 마음속에 깊이 기억해야.

❷ **귀에 못이 박히겠어요**: 같은 말을 많이 반복하여 들어서 지겨워요.

❸ **뽀로통했어요**: 얼굴에 못마땅한 기색을 냈어요.

❹ **살며시**: 천천히 가볍고 조심스럽게.

❺ **다급하게**: 일이 닥쳐서 몹시 급하게.

❻ **헛일**: 노력을 한 만큼의 좋은 결과를 얻지 못한 일.

❼ **희망**: 앞일에 대하여 기대를 가지고 바람.

　　아주 먼 옛날, 신들의 왕 제우스는 신들에게 여자를 만들라고 명령했고, 신들은 진흙으로 여자를 만들었어요. 제우스는 여자에게 '판도라'라는 이름을 지어 주고 상자를 하나 주었어요.

　　"판도라, 이 상자는 신들이 사람들에게 주는 선물이란다. 하지만 절대 이 상자를 열면 안 된다."

　　"네, 제우스님."

　　시간이 지나, 제우스는 판도라를 인간 세상에 보내기로 했어요. 판도라가 상자를 열어 볼까 봐 걱정이 된 제우스는 판도라에게 다시 한 번 말했어요.

　　"다시 말하지만 절대 이 상자를 열면 안 된다. 내 말을 ❶**명심해야** 한다."

　　"그만 좀 말씀하세요. ❷**귀에 못이 박히겠어요**. 잘 알아들었어요."

　　판도라는 제우스의 잔소리에 ❸**뽀로통했어요**.

　　판도라는 인간 세상에서 행복한 날들을 보냈어요. 하지만 판도라는 제우스가 준 상자에 무엇이 들어 있는지 너무 궁금했어요. 판도라는 상자를 꺼내서 ❹**살며시** 뚜껑을 열었어요. 그 순간 상자 안에서 그때까지 인간 세상에 없던 '슬픔', '괴로움', '미움', '거짓말' 등 나쁜 것들이 마구 쏟아져 나왔어요. 나쁜 것들은 순식간에 온 세상에 퍼져 버렸어요. 판도라는 ❺**다급하게** 뚜껑을 닫았지만 ❻**헛일**이었어요. 판도라는 다시 상자를 열어보았어요. 그런데 상자 안에 아주 작은 것이 하나 남아 있었어요. 그것은 바로 '❼**희망**'이었어요. 그래서 사람들은 힘들거나 나쁜 일을 겪어도 희망을 잃지 않게 되었답니다.

1 빈칸에 들어갈 말을 글에서 찾아 쓰세요.

제우스는 인간 세상으로 가게 된 판도라에게 상자의 뚜껑을 절대 열면 안 된다고 여러 번 이야기했어요. 그러자 판도라는 (1) 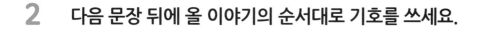 에 (2) 이 박히겠다며 제우스의 잔소리에 뾰로통했어요.

2 다음 문장 뒤에 올 이야기의 순서대로 기호를 쓰세요.

판도라는 상자를 꺼내서 살며시 뚜껑을 열었어요.

(가) 상자 안에 아주 작은 것이 하나 남아 있었어요.

(나) 상자 안에서 여러 나쁜 것들이 마구 쏟아져 나왔어요.

(다) 사람들은 힘들거나 나쁜 일을 겪어도 희망을 잃지 않게 되었어요.

3 상자 속에 마지막까지 남아 있던 것을 글에서 찾아 쓰세요.

4 다음 낱말 사전을 보고, 빈칸에 공통으로 들어갈 낱말을 쓰세요.

(1)

ㅎ ㅇ : 노력을 한 만큼의 좋은 결과를 얻지 못한 일.

예 지금껏 쏟은 노력이 모두 ㅎ ㅇ 이었다.

(2)

ㅎ ㅁ : 앞일에 대하여 기대를 가지고 바람.

예 우리는 힘들어도 ㅎ ㅁ 을 잃지 않아야 한다.

5 밑줄 친 낱말이 문장의 내용과 어울리지 않는 것을 고르세요. (　　　)

① 나는 잠든 엄마의 손을 살며시 잡았어요.

② 주변 풍경을 천천히 둘러보며 다급하게 걸었어요.

③ 소풍이 취소되자 아이는 뾰로통한 표정을 지었어요.

④ 엄마는 내가 집에 혼자 올 때 명심해야 할 것들을 알려 주셨어요.

6 다음 글을 읽고, 빈칸에 들어갈 말을 고르세요. (　　　)

"음식을 골고루 먹어야지."는 엄마가 저에게 [　　　　　　　　] 하시는 말씀
이에요. 저는 채소를 잘 안 먹거든요. 그럴 때마다 엄마는 음식을 골고루 먹어야
건강해진다고 말씀하세요.

① 귀를 기울이며 　　　② 귀에 못이 박히게 　　　③ 귀가 번쩍 뜨이게

7 다음 문장에 들어갈 바른 낱말에 ○표 하세요.

(1) 옷에 묻은 { 진흑 / 진흙 } 을 닦아 냈어요.

(2) 할아버지께서 { 뚝겅 / 뚜껑 } 을 열어 주셨어요.

(3) 할머니께서 직접 { 격은 / 겪은 } 이야기를 들려 주셨어요.

8 틀린 글자가 있는 낱말을 찾아 번호를 쓰고 바르게 고쳐 쓰세요.

(1) ①새상에는 ②다양한 ③사람들이 ④있어요.

☐ → ☐

(2) 수업이 ①끝나자 ②학생들이 교실 ③밖으로 ④쏟아저 나왔어요.

☐ → ☐

2단계 32 받아쓰기

9 들려주는 말을 잘 듣고 띄어쓰기에 유의하여 받아쓰세요.

(1) ☐ ∨ ☐ ☐ ∨ ☐ ∨ ☐ ∨ ☐ ☐ .

(2) ☐ ☐ ∨ ☐ ☐ ∨ ☐ ☐ ☐ .

(3) ☐ ☐ ∨ ☐ ☐ ∨ ☐ ☐ . ☐

QR코드를 찍어
낱말 게임을
해 보세요.

2단계 32 낱말 게임

맞은 개수 _____ /9개

스스로
붙임딱지

한자 성어

일취월장 (日 날 일 就 나아갈 취 月 달 월 將 장수 장)

2단계 33 지문 듣기

아는 어휘에 ✔ 표시를 해 보고, 어휘의 뜻을 생각하며 글을 읽어 보세요.

☐ 꼽히다 ☐ 꾸리다 ☐ 정색하다 ☐ 마치다 ☐ 가지런하다

 공부한 날

월   일

❶ 명필: 글씨를 아주 잘 써서 이름난 사람.

❷ 꼽히는: 골라서 지목되는.

❸ 꾸렸어요: 생활을 이끌어 나갔어요.

❹ 정색하며: 얼굴에 날카롭고 엄격한 표정을 나타내며.

❺ 마친: 하던 일이나 과정을 끝낸.

❻ 가지런한데: 크기나 모양이 큰 차이가 없고 고르고 나란한데.

❼ 일취월장: 나날이 자라거나 발전함.

❽ 문서: 다른 일의 자료가 되는 글을 적은 종이.

한석봉은 조선 시대 ❶명필로 ❷꼽히는 인물이에요. 석봉의 아버지는 석봉이 어릴 때 세상을 떠났고, 석봉의 어머니가 떡을 팔아 겨우 살림을 ❸꾸렸어요. 석봉은 어려서부터 스스로 붓글씨를 익혔고, 글공부에 집중하려고 절에 들어갔어요.

삼 년이 흘렀어요. 석봉은 어머니가 그리워 절에서 내려왔어요. 석봉이 집에 도착했을 때는 이미 한밤중이었지요. 하지만 어머니는 석봉을 반가워하기는커녕 ❹정색하며 물었어요.

"왜 벌써 돌아왔느냐? 글공부를 다 ❺마친 것이냐?"

"네. 그동안 열심히 글공부를 했습니다."

"네가 얼마나 공부했는지 보도록 하자. 글을 쓸 준비를 하거라."

석봉이 준비를 마치자, 어머니는 등잔불을 끄며 말했어요.

"나는 떡을 썰 테니, 너는 글을 쓰거라."

캄캄한 방에서 어머니는 떡을 썰고 석봉은 글을 썼어요. 잠시 뒤 어머니가 등잔불을 켰고, 석봉은 깜짝 놀랐어요. 어머니가 썬 떡은 ❻가지런한데, 자신이 쓴 글씨는 삐뚤빼뚤했어요.

"지금 이 길로 다시 절에 올라가 공부를 계속하거라."

석봉은 절에 돌아가 더욱 열심히 공부했고, 끊임없이 노력해서 석봉의 실력은 ❼일취월장했어요. 석봉은 과거에 급제하여 나라의 ❽문서를 쓰는 관리가 되었어요. 석봉은 어머니의 가르침 덕분에 조선 최고의 명필이 될 수 있었답니다.

1 한석봉에 대한 설명으로 맞지 <u>않는</u> 것을 고르세요. (   )

① 어릴 때 아버지가 돌아가셨어요.

② 서당에 다니며 열심히 글공부를 했어요.

③ 조선 시대 최고의 명필로 꼽히는 인물이에요.

2 관련있는 것을 찾아 선으로 이으세요.

(1) 한석봉이 쓴 글씨 •   •① 가지런했어요.

(2) 어머니가 썬 떡 •   •② 삐뚤빼뚤했어요.

3 다음 글을 읽고, 밑줄 친 '일취월장'의 알맞은 뜻을 고르세요. (   )

> 한석봉은 열심히 공부하라는 어머니의 말씀을 생각하며 더욱 노력했어요.
> 그래서 한석봉의 실력은 <u>일취월장</u>했고, 조선 최고의 명필이 되었어요.

① 나날이 발전하다.   ② 저절로 좋아지다.

③ 잘못을 알게 되어 고치다.   ④ 좋아졌다 나빠졌다 하다.

4 다음 낱말의 알맞은 뜻을 보기에서 찾아 번호를 쓰세요.

> 보기
> ① 골라서 지목되다.
> ② 생활을 이끌어 나가다.
> ③ 얼굴에 날카롭고 엄격한 표정을 나타내다.

(1) 꾸리다 ☐　　(2) 꼽히다 ☐　　(3) 정색하다 ☐

5 뜻이 서로 반대인 낱말끼리 짝 지어진 것을 고르세요. (　　)

① 마치다 ― 끝내다

② 가지런하다 ― 삐뚤빼뚤하다

6 다음 대화를 읽고, 빈칸에 들어갈 한자 성어를 쓰세요.

> 지훈: 엄마. 오늘 학교에서 발표를 했는데, 잘했다고 칭찬받았어요.
>
> 엄마: 와! 우리 지훈이 정말 [　　　　　] 했구나!
>
> 지훈: 그게 무슨 말이에요?
>
> 엄마: 지훈이가 1학년 때는 이름 말하는 것도 쑥스러워했잖아. 그런데 이제
> 발표를 잘한다니 우리 지훈이가 정말 많이 발전했다는 뜻이란다.

ㅇ　ㅊ　ㅇ　ㅈ

7 다음 문장에 들어갈 바른 낱말에 ○표 하세요.

(1) 할아버지는 { 붓글시 / 붓글씨 } 를 잘 쓰세요.

(2) 나는 책읽기에 { 집중하려고 / 집쭝하려고 } 텔레비전을 껐어요.

(3) 분수에서 물줄기가 { 끈임없이 / 끊임없이 } 올라와요.

8 밑줄 친 낱말을 바르게 고쳐 쓰세요.

(1)
> 이 분은 최고의 화가로 <u>꼬피는</u> 분이에요.

→ ☐☐☐

(2)
> 나는 신발을 <u>가지러나게</u> 정리했어요.

→ ☐☐☐☐☐

2단계 33 받아쓰기

9 들려주는 말을 잘 듣고 띄어쓰기에 유의하여 받아쓰세요.

(1)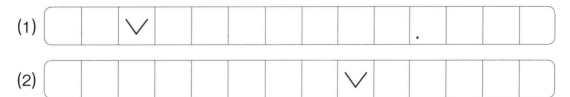

(2)

(3)

QR코드를 찍어
낱말 게임을
해 보세요.
2단계 33 낱말 게임

맞은 개수 _____ /9개

151

스스로
붙임딱지

여러 나라의 전통

아는 어휘에 ✔ 표시를 해 보고, 어휘의 뜻을 생각하며 글을 읽어 보세요.

☐ 의상 ☐ 가옥 ☐ 옷깃 ☐ 챙 ☐ 기후 ☐ 가축

🕐 **공부한 날**

월   일

❶ **전통**: 어떤 집단이나 공동체에서 지난 시대부터 전해 내려오면서 고유하게 만들어진 사상, 관습, 행동 등의 양식.

❷ **의상**: 사람이 입는 옷.

❸ **가옥**: 사람이 사는 집.

❹ **옷깃**: 윗옷에서 목둘레에 길게 덧붙여 있는 부분.

❺ **챙**: 햇볕을 가리기 위해 모자의 끝에 댄 부분.

❻ **기후**: 기온, 비, 눈, 바람 등의 기상 상태.

❼ **가축**: 사람이 생활에 도움을 얻으려고 집에서 기르는 짐승.

❽ **형성되었어요**: 어떤 모습이나 모양을 갖추게 되었어요.

　　우리나라의 ❶**전통** ❷**의상**은 고운 빛깔의 한복이고, 전통 ❸**가옥**은 지붕을 기와로 만든 한옥이에요. 우리나라처럼 다른 나라에도 다양한 전통 의상과 전통 가옥이 있어요.

　　중국의 전통 의상은 '치파오'예요. 치파오는 옆트임이 있고 목 부분에 ❹**옷깃**을 세운, 몸에 딱 붙는 옷이에요. 베트남의 전통 의상은 긴 윗옷과 헐렁한 바지로 이루어진 '아오자이'예요. 또 햇빛과 비를 막아 주는 고깔 모양의 모자도 있어요. 멕시코에서는 햇빛을 가리려고, ❺**챙**이 넓은 모자를 썼고 색깔이 화려한 '판초'라는 망토를 입었어요. 북극 같이 추운 지역에서는 동물의 털과 가죽으로 만든 두꺼운 옷을 입었어요. 영국의 스코틀랜드 지방에는 남자가 입는 치마인 '킬트'가 있어요. 킬트는 체크무늬 천으로 만드는데, 집안마다 이 체크무늬가 다른 것이 특징이에요.

　　러시아에서는 주변에서 쉽게 구할 수 있는 통나무로 만든 통나무집에서 살았어요. 통나무집은 벽돌집보다 훨씬 따뜻해서 추운 러시아 ❻**기후**에 알맞아요. 몽골에서는 ❼**가축**의 먹이를 찾아 쉽게 옮겨 다닐 수 있도록 '게르'라는 천막집을 짓고 살았어요. 베트남, 미얀마, 태국 등 덥고 비가 많이 내리는 지역에서는 물 위에 집을 짓고 살았어요. 북극 가까이 사는 사람들은 단단한 눈을 큰 벽돌 모양으로 쌓아 만든 둥근 모양의 '이글루'에서 살았어요.

　　나라마다 문화, 기후, 자연 환경 등이 다른 것처럼 **여러 나라의 전통**이 서로 다르게 ❽**형성되었어요**.

1 전통 의상과 지역이 <u>잘못</u> 짝 지어진 것을 고르세요. (   )

①

중국

②

베트남

③

멕시코

2 빈칸에 들어갈 말을 글에서 찾아 쓰세요.

- 몽골 사람들은 (1) '☐☐'라는 천막집에서 살았어요.
- 북극 가까이 사는 사람들은 눈으로 만든 (2) '☐☐☐'에서 살았어요.

3 빈칸에 공통으로 들어갈 말을 글에서 찾아 쓰세요.

나라마다 문화나 기후, 자연 환경 등이 모두 다른 것처럼 여러 나라의 ☐☐ 의상과 ☐☐ 가옥의 모습도 다르게 형성되었어요.

4 다음 낱말의 알맞은 뜻을 찾아 선으로 이으세요.

(1) 가옥 •

(2) 가축 •

(3) 기후 •

• ① 사람이 사는 집.

• ② 기온, 비, 눈, 바람 등의 기상 상태.

• ③ 생활에 도움을 얻으려고 집에서 기르는 짐승.

5 다음 그림을 보고, 보기 에서 알맞은 낱말을 찾아 쓰세요.

(1) ☐

(2) ☐

보기

챙

옷깃

6 다음 대화를 읽고, 빈칸에 들어갈 낱말을 쓰세요.

선생님: 오늘은 세계 전통 의상과 가옥 그리기를 하겠습니다.

기준   : 나는 챙이 넓은 모자와 판초를 그려야지.

정민   : 너는 멕시코의 전통 (1) ☐☐ 을 그리려고 하는구나. 나는 '게르'

라는 천막집을 그릴 거야.

기준   : 너는 몽골의 전통 (2) ☐☐ 을 그리려고 하는구나.

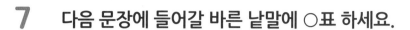

7 다음 문장에 들어갈 바른 낱말에 ○표 하세요.

(1) 언니는 { 고깔 / 꼬깔 } 모양의 모자를 썼어요.

(2) 나는 { 체크무니 / 체크무늬 } 가방을 메고 소풍을 갔어요.

(3) 나는 상자를 밖으로 { 옴겼어요 / 옮겼어요 }.

7주차
Day
34

정답과 해설 20쪽

8 밑줄 친 낱말을 바르게 고쳐 쓰세요.

(1) 하늘이 붉은 <u>빗깔</u>을 띠고 있어요.

→ ☐☐ ☐☐

(2) 할머니 댁에 <u>널븐</u> 마당이 있어요.

→ ☐☐ ☐☐

2단계 34 받아쓰기

9 들려주는 말을 잘 듣고 띄어쓰기에 유의하여 받아쓰세요.

(1) ☐☐ ∨ ☐☐ ∨ ☐☐☐ ∨ ☐☐☐☐ .☐

(2) ☐☐☐☐ ∨ ☐☐ ∨ ☐☐☐☐

(3) ☐ ∨ ☐☐☐ ∨ ☐☐☐ ∨ ☐☐☐☐

한자 어휘

공장(工場)

● 工(공)은 '장인', '솜씨', '만들다' 등을 뜻해요.
↳ 손으로 물건을 만드는 일을 직업으로 하는 사람.

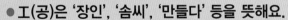

工 → 工

땅을 다질 때
쓰던 도구의
모습에서 만들어진
글자예요.

工

장인 **공**

工(공)이 들어간 다음 어휘 중에서 아는 것에 ✔ 표시를 해 보세요.

☐ 공업　☐ 공구　☐ 공사

공 업 장인 工　업, 직업 業	뜻 사람의 손이나 기계로 물건을 만드는 산업. 예 우리나라는 자동차 공업이 발달했어요.
공 구 장인 工　설비 具	뜻 톱, 망치 등 물건을 만들거나 고치는 데에 쓰는 기구나 도구. 예 의자를 만들려면 공구가 필요해요.
공 사 장인 工　일 事	뜻 시설이나 건물 등을 새로 짓거나 고침. 예 우리 집 근처에서 새 지하철역 공사를 하고 있어요.

'공장'은 재료를 가공하여 물건을 만들어 내는 곳을 말해요.

● 場(장)은 '마당', '장소' 등을 뜻해요.

 → 場

햇볕이 잘 들고 넓은 땅인 마당의 모습에서 만들어진 글자예요.

場
마당 장

場(장)이 들어간 다음 어휘 중에서 아는 것에 ✔ 표시를 해 보세요.

☐ 입장   ☐ 퇴장   ☐ 목장

입 장
들 入 마당 場

뜻 어떤 장소 안으로 들어감.
예 어린이는 그 미술관에 무료로 입장할 수 있어요.

퇴 장
물러날 退 마당 場

뜻 어떤 장소에서 물러나거나 밖으로 나감.
예 축구 경기에서 레드카드를 받은 선수는 퇴장해야 해요.

목 장
칠 牧 마당 場

뜻 우리와 풀밭 등을 갖추어 소나 말, 양 등을 놓아기르는 곳.
예 양떼 목장에서 아기 양을 보았어요.

157

1 다음 뜻과 음에 알맞은 한자를 보기 에서 찾아 번호를 쓰세요.

> 보기 ① 空   ② 場   ③ 重   ④ 工

(1) 장인 공 – ☐   (2) 마당 장 – ☐

2 다음 뜻에 알맞은 낱말이 되도록 빈칸에 들어갈 글자를 쓰세요.

(1) ☐ 장 : 어떤 장소에서 물러나거나 밖으로 나감.

(2) 공 ☐ : 사람의 손이나 기계로 물건을 만드는 산업.

(3) ☐ 장 : 우리와 풀밭 등을 갖추어 소나 말, 양 등을 놓아기르는 곳.

3 빈칸에 들어갈 낱말을 보기 에서 찾아 쓰세요.

> 보기   공사   공구   입장

(1) 선수들이 경기장으로 ☐☐ 하고 있어요.
↳ 어떤 장소 안으로 들어감.

(2) 우리 학교에 새 건물을 짓는 ☐☐ 를 하고 있어요.
↳ 건물 등을 새로 짓거나 고침.

(3) 동생은 드라이버, 망치 같은 장난감 ☐☐ 를 가지고 놀아요.
↳ 물건을 만들거나 고치는 데에 쓰는 기구나 도구.

4 다음 빈칸에 '공(工)'과 '장(場)' 가운데에서 알맞은 글자를 쓰세요.

일상생활에 필요한 물건을
쓸모가 있으면서 아름답게 <u>만드는</u> 일.

(1) 구슬로 목걸이, 귀걸이 등을 만드는

것을 비즈 [　] [예] 라고 해요.

고장 난 것을 <u>고치는</u> 일을 하는 사람.

(2) 아빠는 고장난 자동차를 고치는

자동차 [수] [리] [　] 이에요.

工 [공] [장] 場

(3) 반찬거리를 사러 [시] [　] 에

갔어요.

여러 가지 상품을 사고파는 일정한 <u>장소</u>.

(4) [운] [동] [　] 에서 공놀이를

했어요.

체조, 운동 경기, 놀이 등을 할 수 있도록
여러 기구를 갖춘 넓은 <u>마당</u>.

QR코드를 찍어
낱말 게임을
해 보세요.

2단계 35 낱말 게임

😊 맞은 개수 _____ /4개

스스로
붙임딱지

정답과 해설 21쪽

7주차 | 복습

다음 뜻에 알맞은 낱말을 퍼즐판에서 찾고 빈칸에 쓰세요.

			재	산
	명	심	하	다
목	공	구		급
장	기	후		하
	정	색	하	다

(1) 재 ☐ : 가지고 있는 돈이나 돈으로 바꿀 수 있는 것.

(2) 명 ☐ ☐ ☐ : 잊지 않도록 마음속에 깊이 기억하다.

(3) ☐ 급 ☐ ☐ : 일이 닥쳐서 몹시 급하다.

(4) 정 ☐ ☐ ☐ : 얼굴에 날카롭고 엄격한 표정을 나타내다.

(5) ☐ 후 : 기온, 비, 눈, 바람 등의 기상 상태.

(6) 공 ☐ : 톱, 망치 등 물건을 만들거나 고치는 데에 쓰는 기구나 도구.

(7) ☐ 장 : 우리와 풀밭 등을 갖추어 소나 말, 양 등을 놓아기르는 곳.

160

알고 있는 어휘는
글에서 어떻게 쓰였는지 확인하고,
모르는 어휘는 글을 읽으며
재미있게 익혀 보아요!

8주 어휘 미리보기

뜻을 알고 있는 어휘에 ✔ 표 해 보세요.

배울 내용	배울 어휘	공부한 날
Day 36 속담 하늘이 무너져도 솟아날 구멍이 있다	☐ 슬금슬금 ☐ 바들바들 ☐ 바짝 ☐ 해결책	월 일
Day 37 관용어 발등에 불이 떨어지다	☐ 섬기다 ☐ 국경 ☐ 피난 ☐ 길목 ☐ 항복하다	월 일
Day 38 한자 성어 선견지명(先見之明)	☐ 일구다 ☐ 예감하다 ☐ 진귀하다 ☐ 행여 ☐ 골고루 ☐ 비로소	월 일
Day 39 교과 어휘 동식물의 겨울나기	☐ 양분 ☐ 겨울잠 ☐ 빽빽하다 ☐ 털갈이 ☐ 보송보송하다 ☐ 가늘다	월 일
Day 40 한자 어휘 정직(正直)	☐ 정확 ☐ 정상 ☐ 수정 ☐ 직진 ☐ 직접 ☐ 솔직	월 일

Day 36

속담

하늘이 무너져도 솟아날 구멍이 있다

2단계 36 지문 듣기

아는 어휘에 ✔ 표시를 해 보고, 어휘의 뜻을 생각하며 글을 읽어 보세요.

☐ 슬금슬금 ☐ 바들바들 ☐ 바짝 ☐ 해결책

🕐 공부한 날

월 일

❶ **갈기**: 말이나 사자 등의 목과 등에 난 긴 털.

❷ **씰룩거렸어요**: 근육의 한 부분이 한쪽으로 비뚤어지게 움직였어요.

❸ **불같이**: 성격이 매우 급하고 사납게.

❹ **슬금슬금**: 남이 알아차리지 못하도록 눈치를 살펴 가면서 슬며시 행동하는 모양.

❺ **바들바들**: 몸을 자꾸 작게 바르르 떠는 모양.

❻ **바짝**: 매우 긴장하거나 힘주는 모양.

❼ **하늘이 무너져도 솟아날 구멍이 있다**: 아무리 어려운 상황에 부딪히더라도 그것을 해결할 방법이 있다.

❽ **해결책**: 사건이나 문제, 일 등을 잘 처리해 끝을 내기 위한 방법.

햇살이 눈부신 아침, 사자가 풀밭을 어슬렁거리고 있었어요. 마침 풀밭을 지나가던 양이 사자를 보고 인사했어요.

"사자님, 안녕하세요? 오늘따라 사자님의 ❶**갈기**가 더 멋있어 보여요."

양의 말에 기분이 좋아진 사자는 입꼬리를 ❷**씰룩거렸어요**. 그런데 갑자기 양이 코를 막고 괴로운 표정을 지었어요.

"어휴, 사자님 입 냄새가 너무 고약해요."

사자는 양의 말에 화가 나서 양을 잡아먹었어요.

사자는 지나가는 토끼를 불러 자신의 입 냄새를 맡게 했어요. 토끼는 양이 잡아먹히는 모습을 보고 너무 무서웠어요. 그래서 토끼는 사자의 입에서 향기로운 과일 냄새가 난다고 거짓말을 했어요. 사자는 토끼의 거짓말에 ❸**불같이** 화를 내며 토끼도 한입에 삼켜 버렸어요.

이 모든 모습을 지켜보던 여우가 ❹**슬금슬금** 도망가려던 참이었어요.

"어이, 여우! 이리 와서 내 입 냄새를 한번 맡아 보아라."

여우는 무서워서 ❺**바들바들** 떨렸지만 정신을 ❻**바짝** 차리고 생각했어요.

'❼**하늘이 무너져도 솟아날 구멍이 있다**던데. 어떻게 말하면 좋을까?'

그 순간 여우에게 좋은 ❽**해결책**이 떠올랐어요.

"사자님, 어쩌면 좋지요? 제가 심한 코감기에 걸려 냄새를 맡을 수가 없어요. 하지만 분명 사자님의 입에서는 좋은 냄새가 날 거예요."

사자는 여우의 대답이 못마땅했지만 여우를 살려 주었어요.

1 글에 나오지 <u>않는</u> 동물을 고르세요. (   )

① 양　　　　　　　② 토끼　　　　　　　③ 사자　　　　　　　④ 늑대

2 다음은 동물들이 사자의 입 냄새를 맡은 뒤 한 말입니다. 누가 한 말인지 빈칸에 동물의 이름을 쓰세요.

(1) "입 냄새가 너무 고약해요." ——— [   ]

(2) "향기로운 과일 냄새가 나요." ——— [   ]

(3) "코감기에 걸려 냄새를 맡을 수가 없어요." ——— [   ]

3 빈칸에 들어갈 말을 글에서 찾아 쓰세요.

여우는 양과 토끼가 사자의 입 냄새를 맡은 뒤 사자에게 잡아먹히는 모습을 보았어요. 그런데 사자가 여우에게 자신의 입 냄새를 맡아 보라고 했어요. 여우는 너무 무서워서 바들바들 떨었어요. 하지만 (1) [ ][ ]이 무너져도 솟아날 (2) [ ][ ]이 있다고 생각하며 정신을 바짝 차렸어요.

4 다음 낱말의 알맞은 뜻을 찾아 선으로 이으세요.

(1) 슬금슬금 •

(2) 바들바들 •

• ① 몸을 작게 바르르 떠는 모양.

• ② 남이 알아차리지 못하도록 슬며시 행동하는 모양.

5 다음 낱말 사전을 보고, 빈칸에 공통으로 들어갈 낱말을 쓰세요.

(1) ㅂ ㅉ : 매우 긴장하거나 힘 주는 모양.

예 미끄러지지 않도록 정신을 ㅂ ㅉ 차렸어요.

(2) ㅎ ㄱ ㅊ : 사건이나 문제, 일 등을 잘 처리해 끝을 내기 위한 방법.

예 차근차근 ㅎ ㄱ ㅊ 을 생각해 봅시다.

6 다음 글을 읽고, 알라딘의 상황에 알맞은 속담을 고르세요. (   )

> 동굴에 갇힌 알라딘은 밖으로 나갈 방법을 생각해 보았어요. 그때 마법사가 끼워 준 반지가 생각났어요. 알라딘이 반지를 문지르자, 반지의 거인이 나타났어요. 반지의 거인은 알라딘을 집에 데려다주었어요.

① 호랑이도 제 말 하면 온다
② 입에 쓴 약이 몸에 좋다
③ 벼는 익을수록 고개를 숙인다
④ 하늘이 무너져도 솟아날 구멍이 있다

8주차
Day **36**

정답과 해설 21쪽

7 다음 문장에 들어갈 바른 낱말에 ○표 하세요.

(1) 바다 냄새를 { 맞아 / 맡아 } 보아요.

(2) 나는 앞으로 { 어떡해 / 어떻게 } 하면 좋을지 모르겠어요.

8 밑줄 친 낱말을 바르게 고쳐 쓰세요.

여우는 정신을 (1) 찰이고 사자에게 잡아먹힐 위기를 넘겼어요. 여우는 (2) 몬마땅해하는 사자의 표정이 자꾸 떠올라 온몸이 (3) 받을받을 떨렸어요.

(1) ☐☐☐

(2) ☐☐☐☐☐☐

(3) ☐☐☐☐

2단계 36 받아쓰기

9 들려주는 말을 잘 듣고 띄어쓰기에 유의하여 받아쓰세요.

(1) ☐☐☐∨☐☐☐∨☐☐☐☐.

(2) ☐∨☐☐☐∨☐☐∨☐☐☐☐.

(3) ☐☐☐∨☐☐☐∨☐☐☐.

QR코드를 찍어
낱말 게임을
해 보세요.

2단계 36 낱말 게임

맞은 개수 _____ /9개

165

스스로
붙임딱지

발등에 불이 떨어지다

2단계 37 지문 듣기

아는 어휘에 ✔ 표시를 해 보고, 어휘의 뜻을 생각하며 글을 읽어 보세요.

☐ 섬기다　☐ 국경　☐ 피난　☐ 길목　☐ 항복하다

🕐 공부한 날

　　　월　　　일

❶ **섬기라고**: 특별한 존재로 삼아 따르고 받들라고.

❷ **입장**: 지금 자기가 놓여 있는 처지나 상황에 대한 태도.

❸ **국경**: 나라와 나라의 땅을 나누는 경계.

❹ **피난**: 전쟁 등의 재난을 피해 멀리 도망감.

❺ **발등에 불이 떨어진**: 일이 몹시 급하게 닥친.

❻ **길목**: 길에서 거쳐 지나가는 중요한 통로.

❼ **항복했고**: 싸움에 진 것을 상대에게 인정했고.

　조선의 16 대 임금인 인조가 나라를 다스리던 1636년에 있었던 일이에요. 청나라 황제 태종이 군사를 이끌고 조선으로 쳐들어왔어요. 인조가 임금이 된 지 얼마 안 된 1627년에 쳐들어오고 약 10년 만에 다시 쳐들어온 것이었어요. 그 당시 조선은 힘이 약했어요. 청나라는 조선에게 명나라와의 관계를 끊고 청나라를 황제의 나라로 ❶**섬기라고** 강요했어요.

　"청나라에 고개를 숙일 수는 없습니다. 무조건 싸워야 합니다."

　"안 됩니다. 일단 친하게 지낸 뒤 힘을 길러서 나중에 싸워야 합니다."

　신하들은 서로 다른 ❷**입장**을 내세우며 다투었어요. 그러는 사이에 청나라 군사가 ❸**국경**인 압록강을 넘어 빠르게 내려왔어요.

　"전하, 큰일입니다. 청나라 군사가 벌써 한양 가까이 내려왔다고 합니다. 언제 군사가 들이닥칠지 모르니 어서 강화도로 ❹**피난**을 가셔야 합니다."

　❺**발등에 불이 떨어진** 인조는 강화도를 향해 출발했어요. 그런데 이미 청나라 군사가 강화도로 가는 ❻**길목**을 막고 있었어요. 인조는 어쩔 수 없이 남한산성으로 몸을 피했고 47일 동안 청나라에 맞서 싸웠어요. 하지만 결국 조선은 청나라에 ❼**항복했고**, 청나라와 조선은 임금과 신하의 관계를 맺었어요. 그리고 인조의 아들들과 많은 신하들이 청나라에 끌려가고 말았답니다.

▲ 삼전도비

이야기 속 상식

삼전도비는 청나라 황제 태종이 인조의 항복을 받은 것을 기념하여 강제로 세우게 한 기념비예요. 삼전도비에는 우리 민족의 슬픈 역사가 담겨 있어요.

1 청나라가 조선에 강요한 내용이 <u>아닌</u> 것을 고르세요. (   )

① 명나라와의 관계를 끊을 것

② 청나라를 황제의 나라로 섬길 것

③ 청나라와 함께 명나라와 싸울 것

2 빈칸에 들어갈 말을 글에서 찾아 쓰세요.

청나라 군사가 조선으로 쳐들어왔고 빠르게 한양 가까이까지 내려왔어요. 신하들은 인조에게 빨리 피해야 한다고 말했어요. (1) ☐☐ 에 (2) ☐ 이 떨어진 인조는 강화도로 피난을 가려고 했어요.

3 조선이 남한산성에서 청나라에 맞서 싸운 결과로 일어난 일을 고르세요. (   )

① 청나라에 항복했어요.   ② 청나라와 형제 관계를 맺었어요.

③ 인조가 청나라에 끌려갔어요.   ④ 47일 만에 전쟁에서 승리했어요.

4 다음 뜻에 알맞은 낱말을 보기 에서 찾아 빈칸에 쓰세요.

> 보기   피난   길목   국경

(1) ☐☐ : 나라와 나라의 땅을 나누는 경계.

(2) ☐☐ : 길에서 거쳐 지나가는 중요한 통로.

(3) ☐☐ : 전쟁 등의 재난을 피해 멀리 도망감.

5 밑줄 친 낱말이 문장에 어울리면 ○표, 어울리지 않으면 ×표 하세요.

(1) 효녀 심청은 아버지를 정성스럽게 섬겼어요. ☐

(2) 청나라는 큰 승리를 거두어 명나라에게 항복했어요. ☐

6 다음 글을 읽고, 빈칸에 들어갈 말을 보기 에서 찾아 번호를 쓰세요.

> 보기   ① 손등   ② 발등   ③ 불   ④ 물

> **엄마:** 호영아, 내일 발표 준비 다 마쳤니?
> **호영:** 발표? 무슨 발표요?
> **엄마:** 선생님께서 가족을 소개하는 글을 써서 발표하라고 하셨다며.
> **호영:** 으악! 맞다. 깜빡했어요. 어쩌죠? 발표일이 내일인데.
> **엄마:** 아이고, (1) ☐ 에 (2) ☐ 이 떨어졌구나. 서두르지 말고 어떤 내용을 쓸지 먼저 생각해 보렴.

맞춤법·받아쓰기

7 다음 문장에 들어갈 바른 낱말에 ○표 하세요.

(1) 로봇 장난감에 관심을 { 끈을 / 끊을 } 거예요.

(2) 팔 힘을 { 길어서 / 길러서 } 팔씨름을 잘해요.

(3) 밥 먹기 전에 { 일단 / 일딴 } 손부터 씻어라.

8 <u>틀린</u> 글자가 있는 낱말을 찾아 번호를 쓰고 바르게 고쳐 쓰세요.

(1) 두 친구는 ①자기 ②주장만 ③내새우며 ④다투었어요.

[　　] ➡ [　　　　　　]

(2) 범수는 ①친한 형과 ②어제 ③의형제를 ④맺었어요.

[　　] ➡ [　　　　　　]

2단계 37 받아쓰기

9 들려주는 말을 잘 듣고 띄어쓰기에 유의하여 받아쓰세요.

(1)

(2)

(3)

한자 성어

선견지명(先 먼저 선 見 볼 견 之 갈 지 明 밝을 명)

2단계 38 지문 듣기

아는 어휘에 ✓ 표시를 해 보고, 어휘의 뜻을 생각하며 글을 읽어 보세요.
☐ 일구다 ☐ 예감하다 ☐ 진귀하다 ☐ 행여 ☐ 골고루 ☐ 비로소

🕐 **공부한 날**

월   일

❶ **일구었어요**: 농사를 짓기 위해 땅을 파서 일으켰어요.

❷ **예감했어요**: 무슨 일이 생길 것 같이 느꼈어요.

❸ **진귀한**: 보기 드물게 귀중한.

❹ **행여**: 어쩌다가 혹시.

❺ **골고루**: 빼놓지 않고 이것저것 모두.

❻ **선견지명**: 다가올 일을 미리 내다보고 아는 지혜.

❼ **비로소**: 이제까지는 아니던 것이 어떤 일이 있고 난 다음에서야.

넓은 포도밭을 가진 농부가 있었어요. 농부는 매우 부지런히 일했고, 농부의 밭에서 나는 포도는 탐스럽고 맛이 좋았어요.

농부에게는 세 아들이 있었는데, 세 아들은 모두 포도밭에 나가 일하기를 싫어했어요. 농부는 어쩔 수 없이 날마다 혼자서 포도밭을 ❶**일구었어요**.

세월이 흘러 농부는 큰 병에 걸렸고, 자신이 세상을 떠날 날이 얼마 남지 않았음을 ❷**예감했어요**. 농부는 일하지 않는 세 아들이 걱정되어 아들들을 불러 놓고 말했어요.

"얘들아, 내가 죽기 전에 너희들에게 알려 줄 비밀이 있다. 사실 포도밭에는 아주 ❸**진귀한** 보물이 숨겨져 있단다. 내가 죽으면 너희들이 포도밭을 파서 보물을 꼭 찾기를 바란다."

얼마 뒤 농부는 세상을 떠났고, 세 아들은 아버지가 말한 보물을 찾으러 삽과 곡괭이를 들고 밭으로 갔어요. 넓은 포도밭을 파는 것은 힘들었지만, 세 아들은 ❹**행여** 다른 사람이 보물을 먼저 찾을까 봐 날마다 밭을 팠어요.

어느새 가을이 되었어요. 아들들은 아직 아버지가 말한 보물을 찾지 못했어요. 대신 포도밭에는 탐스러운 포도가 주렁주렁 열렸어요. 아들들이 여기저기 땅을 파면서 흙이 ❺**골고루** 섞인 덕분에 포도 농사가 매우 잘되었기 때문이지요.

아버지의 ❻**선견지명** 덕분에 아들들은 포도밭을 잘 일구었어요. 아들들은 잘 가꿔진 포도밭을 보고서야 ❼**비로소** 아버지가 말씀하신 보물이 무엇인지 깨달았어요.

1 농부가 걱정한 일이 무엇인지 고르세요. (   )

① 농부가 큰 병에 걸렸어요.

② 혼자 포도밭을 일구는 것이 힘들어요.

③ 아들들이 포도밭에서 일하는 것을 싫어해요.

2 농부의 세 아들이 다음 행동을 한 까닭과 결과를 보기 에서 찾아 번호를 쓰세요.

(1) 행동한 까닭: ☐ ← 세 아들은 날마다 포도밭을 팠어요. → (2) 행동한 결과: ☐

보기 ① 농부는 매일 혼자서 포도밭을 일구었어요.

② 포도밭에 탐스러운 포도가 주렁주렁 열렸어요.

③ 농부가 아들들에게 포도밭에 보물이 숨겨져 있다고 말했어요.

3 빈칸에 들어갈 말을 글에서 찾아 쓰세요.

농부는 아들들이 포도밭을 열심히 일구지 않을 것을 알고, 포도밭에 보물이 있다고 말했어요. 농부의 ☐☐☐☐ 덕분에 아들들은 보물을 찾기 위해 포도밭을 열심히 일구었고, 탐스러운 포도를 수확했어요.

4 다음 뜻에 알맞은 낱말을 보기 에서 찾아 쓰세요.

> 보기　　　　　골고루　　　　비로소　　　　행여

(1) [　　　] : 어쩌다가 혹시.

(2) [　　　] : 빼놓지 않고 이것저것 모두.

(3) [　　　] : 이제까지는 아니었던 것이 어떤 일이 있고 난 다음에서야.

5 다음 문장의 내용과 어울리는 낱말을 찾아 선으로 이으세요.

(1) 농부들이 모여 밭을 갈고 있어요. ・　　　・① 일구다

(2) 다이아몬드는 귀하고 값비싼 보석이에요. ・　　　・② 예감하다

(3) 오늘은 좋은 일이 일어날 것 같아요. ・　　　・③ 진귀하다

6 다음 글을 읽고, 빈칸에 들어갈 한자 성어를 고르세요. (　　　)

> 　　며칠 전 현수가 나에게 같이 공부하자고 했다. 현수는 한 단원 수업이 끝나 가니까 곧 쪽지 시험을 볼 것 같다고 했다. 나는 별 생각이 없었지만 현수와 함께 공부했다. 그런데 오늘 쪽지 시험을 보았다. 나는 현수의 [　　　] 덕분에 쪽지 시험을 잘 볼 수 있어서 기뻤다.

① 개과천선　　　② 선견지명　　　③ 이심전심　　　④ 일취월장

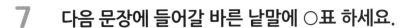

7 다음 문장에 들어갈 바른 낱말에 ○표 하세요.

(1) 차를 타고 가다가 넓은 ⎰포도받⎱을 보았어요.
　　　　　　　　　　　　⎱포도밭⎰

(2) 초록색은 파란색과 노란색이 ⎰석인⎱ 색이에요.
　　　　　　　　　　　　　　　⎱섞인⎰

(3) ⎰곡굉이⎱로 땅을 팠어요.
　　⎱곡괭이⎰

8주차

Day 38

정답과 해설 22쪽

8 밑줄 친 낱말을 바르게 고쳐 쓰세요.

(1) | 긴 <u>새월</u>이 흘렀어요. |

→ ☐☐

(2) | <u>탐쓰러운</u> 꽃이 피었어요. |

→ ☐☐☐☐

9 들려주는 말을 잘 듣고 띄어쓰기에 유의하여 받아쓰세요.

(1) ☐☐∨☐☐∨☐☐☐☐☐☐

(2) ☐☐☐∨☐☐∨☐☐☐∨☐☐

(3) ☐☐∨☐☐☐∨☐☐☐☐☐.

QRコ드를 찍어
낱말 게임을
해 보세요.

2단계 38 낱말 게임

맞은 개수 _____ /9개

173

스스로
붙임딱지

교과 어휘

동식물의 겨울나기

2단계 39 지문 듣기

아는 어휘에 ✔ 표시를 해 보고, 어휘의 뜻을 생각하며 글을 읽어 보세요.

☐ 양분   ☐ 겨울잠   ☐ 빽빽하다   ☐ 털갈이   ☐ 보송보송하다   ☐ 가늘다

🕐 **공부한 날**

월   일

❶ **양분**: 영양이 되는 성분.

❷ **겨울잠**: 동물이 겨울을 나기 위해 활동을 멈추고 겨울철 동안 자는 잠.

❸ **빽빽한**: 사이가 촘촘한.

❹ **털갈이**: 짐승이나 새의 오래된 털이 빠지고 새 털이 나는 일.

❺ **단풍**: 가을에 나뭇잎이 붉은색이나 노란색으로 변하는 현상.

❻ **보송보송한**: 매우 작고 부드러운 털 같은 것이 돋아 있는.

❼ **겨울눈**: 늦여름부터 가을 사이에 생겨 겨울을 지낸 후 이듬해 봄에 자라는 싹.

❽ **가는**: 너비가 좁거나 굵기가 얇고 긴.

❾ **이듬해**: 어떤 일이 일어난 바로 다음 해.

추운 겨울이 찾아왔어요. 동물과 식물은 먹이와 ❶**양분**이 부족한 겨울을 어떻게 보낼까요?

귀여운 다람쥐는 겨울이 오기 전 먹이를 모아 두고 ❷**겨울잠**을 자요. 자다가 배가 고프면 일어나서 먹이를 먹고 다시 잠을 자요. 덩치 큰 곰은 가을에 먹이를 많이 먹고 나무 밑이나 동굴에 들어가 겨울잠을 자요. 꿈틀꿈틀 기어다니는 뱀은 땅 속에 들어가 겨울잠을 자요.

다람쥐와 닮은 청설모는 다람쥐와는 달리 겨울잠을 자지 않아요. 청설모는 길고 ❸**빽빽한** 털로 ❹**털갈이**를 하고 가을에 모아 둔 도토리를 먹으며 겨울을 보내요. 호랑이와 여우도 겨울잠을 자지 않아요. 호랑이와 여우는 두꺼운 털로 털갈이를 하고 겨울 동안 산을 돌아다니며 먹이를 구해요.

벚나무나 은행나무와 같이 잎이 넓은 나무들은 기온이 낮아지면 ❺**단풍**을 만들고 잎을 스스로 떨어뜨려요. 잎이 떨어지고 나면 가지 끝에 ❻**보송보송한** 솜방망이 같은 ❼**겨울눈**이 생겨요. 겨울눈 속에 새싹과 꽃을 숨긴 채로 봄을 기다려요.

소나무나 전나무처럼 잎이 ❽**가는** 나무들은 잎을 떨어뜨리지 않고 겨울을 날 수 있어요. 이런 나무들은 겨울에도 초록색 잎을 가지고 있어요.

콩이나 옥수수와 같은 식물은 겨울이 되면 잎과 줄기가 시들어 죽고 씨앗을 남겨요. 봄에 그 씨앗을 땅에 심으면 새싹이 나고 잎과 줄기가 자라나지요.

동식물의 겨울나기 모습은 서로 다르지만, 모두 저마다의 방법으로 추운 겨울을 보내면서 ❾**이듬해** 봄을 기다린답니다.

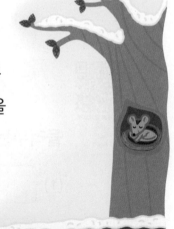

1 각 내용에 알맞은 동물의 이름을 _{보기} 에서 찾아 쓰세요.

> 보기   곰   뱀   여우   다람쥐   청설모   호랑이

(1) 겨울잠을 자는 동물 —☐—☐—☐

(2) 겨울잠을 자지 않는 동물 —☐—☐—☐

2 겨울을 보내는 방법이 나머지 둘과 <u>다른</u> 식물을 고르세요. (   )

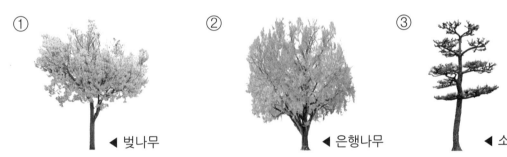

① ◀ 벚나무   ② ◀ 은행나무   ③ ◀ 소나무

3 다음 내용이 설명하는 것을 글에서 찾아 쓰세요.

> • 겨울잠을 자면서 겨울을 보내는 동물과 겨울잠을 자지 않고 털갈이를 해서
>   겨울을 보내는 동물이 있어요.
> • 나뭇잎을 떨어뜨리고 가지만 남긴 채 겨울을 나는 식물과, 초록색 잎으로
>   겨울을 나는 식물, 씨앗을 남겨 겨울을 나는 식물이 있어요.

동식물의 ☐☐☐☐

4 다음 낱말의 알맞은 뜻을 찾아 선으로 이으세요.

(1) 가늘다 •

(2) 빽빽하다 •

(3) 보송보송하다 •

• ① 사이가 촘촘하다.

• ② 너비가 좁거나 굵기가 얇고 길다.

• ③ 매우 작고 부드러운 털 같은 것이 돋아 있다.

5 밑줄 친 부분이 다음 낱말의 뜻을 나타내는 것을 고르세요. (   )

양분

① 이 음식은 <u>달콤한</u> 맛이 나요.
② 이 흙에는 <u>영양이 되는 성분</u>이 많아요.

6 다음 역할극의 빈칸에 들어갈 낱말을 보기 에서 찾아 쓰세요.

보기	겨울잠	겨울눈	털갈이

지원: 안녕! 얘들아. 너희는 겨울을 어떻게 보내니?

다람쥐: 나는 (1) ☐☐☐ 을 자다가 배가 고프면 일어나서 도토리를 먹고 다시 자.

호랑이: 나는 겨울을 따뜻하게 나려고 (2) ☐☐☐ 를 해. 날씨가 추워지면 두꺼운 털이 자라난단다.

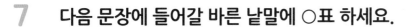

7 다음 문장에 들어갈 바른 낱말에 ○표 하세요.

(1) 나는 책상 앞에 앉은 { 채 / 체 } 로 잠들었어요.

(2) 밤사이 꽃이 { 시드러 / 시들어 } 버렸어요.

(3) 수선화는 예쁜 꽃을 피우는 { 식물 / 싱물 } 이에요.

8주차

Day
39

정답과 해설 23쪽

8 밑줄 친 낱말을 바르게 고쳐 쓰세요.

(1)
식탁 밀에 강아지가 있어요.

→ ☐

(2)
나도 모르게 가방을 떠러뜨렸어요.

→ ☐☐☐☐☐☐☐

2단계 39 받아쓰기

9 들려주는 말을 잘 듣고 띄어쓰기에 유의하여 받아쓰세요.

(1) ☐☐☐ ∨ ☐☐☐ ∨ ☐☐☐ ∨ ☐☐

(2) ☐☐☐ ∨ ☐☐ ∨ ☐☐☐☐☐☐

(3) ☐☐☐ ∨ ☐☐ ∨ ☐☐☐☐☐☐ .

QR코드를 찍어
낱말 게임을
해 보세요.

2단계 39 낱말 게임

😊 맞은 개수 _____ /9개

177

정직(正直)

● 正(정)은 '바르다', '옳다' 등을 뜻해요.

 →  正

목표를 향해 걸어가는 사람의 발 모습에서 만들어진 글자예요.

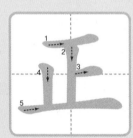

正

바를 **정**

正(정)이 들어간 다음 어휘 중에서 아는 것에 ✔ 표시를 해 보세요.

☐ 정확   ☐ 정상   ☐ 수정

정 | **확**

바를 正   확실할 確

뜻 바르고 확실함.

예 화살이 과녁에 정확하게 맞았어요.

정 | **상**

바를 正   항상 常

뜻 특별히 바뀌어 달라진 것이나 탈이 없이 제대로인 상태.

예 냉장고 기능이 정상으로 돌아왔어요.

수 | **정**

고칠 修   바를 正

뜻 잘못된 것을 바로잡거나 다듬어서 바르게 고침.

예 글에서 잘못 쓴 글자를 수정했어요.

'정직'은 마음에 거짓이나 꾸밈이 없고 바르고 곧은 것을 뜻해요.

● 直(직)은 '곧다', '바르다', '바로' 등을 뜻해요.

똑바로 서 있는 물건을 눈으로 바라보는 모습에서 만들어진 글자예요.

直

곧을 **직**

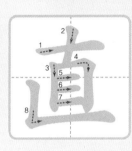

直(직)이 들어간 다음 어휘 중에서 아는 것에 ✔ 표시를 해 보세요.

☐ 직진   ☐ 직접   ☐ 솔직

직 진
곧을 直 나아갈 進

뜻 앞으로 곧게 나아감.
예 길을 건너 직진하면 왼쪽에 편의점이 있어요.

직 접
곧을 直 이을 接

뜻 중간에 아무것도 거치지 않고 바로.
예 준이는 모형 비행기를 직접 만들었어요.

솔 직
거느릴 率 곧을 直

뜻 거짓이나 숨김이 없이 바르고 곧음.
예 잘못한 일을 솔직하게 말해야 해요.

1 다음 한자의 음으로 알맞은 것을 보기 에서 찾아 쓰세요.

> 보기 부 정 곡 직

(1) 正 – [ ]　　　(2) 直 – [ ]

2 다음 뜻에 알맞은 낱말을 보기 에서 찾아 쓰세요.

> 보기 직진 직접 정확

(1) [ ] : 바르고 확실함.

(2) [ ] : 앞으로 곧게 나아감.

(3) [ ] : 중간에 아무것도 거치지 않고 바로.

3 빈칸에 들어갈 낱말을 보기 에서 찾아 쓰세요.

> 보기 수정 솔직 정상

(1) 그 장난감에서 나는 소리는 [ ]이 아니었어요.
↳ 특별히 바뀌어 달라진 것이나 탈이 없이 제대로인 상태.

(2) 일기는 그날 있었던 일과 느낌을 [ ]하게 쓰는 글이에요.
↳ 거짓이나 숨김이 없이 바르고 곧음.

(3) 선생님이 내가 잘못 쓴 답을 빨간 색연필로 [ ]해 주셨어요.
↳ 잘못된 것을 바로잡거나 다듬어서 바르게 고침.

4 다음 빈칸에 '정(正)'과 '직(直)' 가운데에서 알맞은 글자를 쓰세요.

똑바로 마주 보이는 면.

(1) 이 그림은 석고상의

［　］［ 면 ］을 보고 그렸어요.

십오 더하기 오는?

이십!

옳은 답.

(2) 민아는 제가 낸 문제의

［　］［ 답 ］을 맞혔어요.

正 ［정］ ［직］ 直

(3) 잠들기 ［　］［ 전 ］에

먹고 싶은 음식이 생각나요.

어떤 일이 일어나기 <u>바로</u> 전.

(4) 자를 대고 ［　］［ 선 ］을 그었어요.

꺾이거나 굽은 데가 없는 <u>곧은</u> 선.

정답과 해설 23쪽

다음 뜻에 알맞은 낱말을 퍼즐판에서 찾고 빈칸에 쓰세요.

해	🐰	수	빽	직
결	🐰	정	빽	진
책	예	감	하	다
🐰	섬	기	다	🐰
비	로	소	🐰	🐰

(1) 해 [ ] [ ] : 사건이나 문제, 일 등을 잘 처리해 끝을 내기 위한 방법.

(2) [ ] 기 [ ] : 특별한 존재로 삼아 따르고 받들다.

(3) 예 [ ] [ ] [ ] : 무슨 일이 생길 것 같이 느끼다.

(4) [ ] [ ] 소 : 이제까지는 아니던 것이 어떤 일이 있고 난 다음에야.

(5) 빽 [ ] [ ] [ ] : 사이가 촘촘하다.

(6) [ ] 정 : 잘못된 것을 바로잡거나 다듬어서 바르게 고침.

(7) 직 [ ] : 앞으로 곧게 나아감.

스스로 붙임딱지

스스로 문제를 끝까지 풀고
오답 확인까지 마쳐 뿌듯할 때! →

지문에서 새로 알게 된 점이
있어 보람찰 때! →

내용에서 모르는 점을
스스로 알려고 노력하였을 때! →

열심히 풀었지만 풀면서
어려움을 느꼈을 때! →

일일학습을 마친 후, 스스로 ❶붙임딱지를 골라 ❷본문에 붙여 보세요.

어휘력 쑥쑥 자람판

1 어휘력과 독해력을 키우는 하루 15분 공부 습관,
"어휘력 자신감"과 함께 오늘부터 시작해보세요!

2 일일학습을 마치고 오답까지 확인하면
"어휘력 자람판"에 붙임딱지를 하나 붙여 주세요!

3 스스로 Day40까지 채운 후
어휘력과 독해력이 쑥쑥 자란 나를 발견해 보세요.

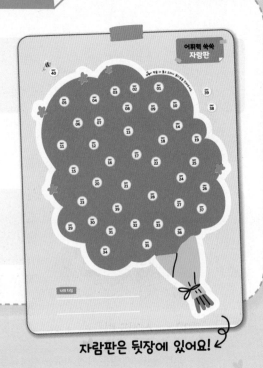

자람판은 뒷장에 있어요!

어휘력 자신감

초등 국어

2

단계

정답과 해설

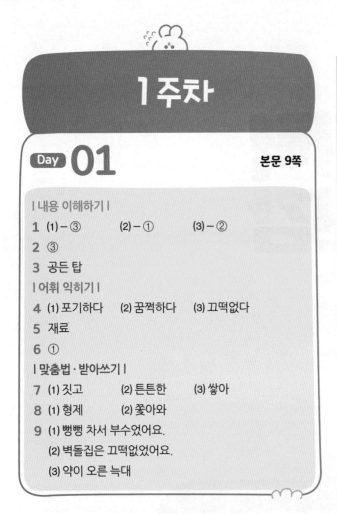

Day 01 본문 9쪽

| 내용 이해하기 |

1 (1) – ③   (2) – ①   (3) – ②
2 ③
3 공든 탑

| 어휘 익히기 |

4 (1) 포기하다   (2) 꿈쩍하다   (3) 끄떡없다
5 재료
6 ①

| 맞춤법 · 받아쓰기 |

7 (1) 짓고   (2) 튼튼한   (3) 쌓아
8 (1) 형제   (2) 쫓아와
9 (1) 뻥뻥 차서 부수었어요.
  (2) 벽돌집은 끄떡없었어요.
  (3) 약이 오른 늑대

| 내용 이해하기 |

1 첫째 돼지는 볏짚으로, 둘째 돼지는 통나무로, 셋째 돼지는 벽돌로 집을 지었습니다.

2 막내 돼지의 벽돌집은 단단한 벽돌로 튼튼하게 지어져서 늑대가 바람을 불고 발로 뻥뻥 차도 꿈쩍하지 않았습니다.

3 '힘과 정성을 다하여 한 일은 그 결과가 헛되지 않음.'을 말할 때 쓰는 속담은 '공든 탑이 무너지랴'입니다.

| 어휘 익히기 |

6 남자아이가 아파서 시험공부를 하지 못했지만 평소에 열심히 공부해 두어서 시험을 잘 본 상황입니다. 이렇게 '힘과 정성을 다하여 한 일은 그 결과가 헛되지 않음.'을 말할 때 쓰는 속담은 '공든 탑이 무너지랴'입니다.

| 맞춤법 · 받아쓰기 |

7 (1) '재료를 가지고 무엇을 만든다.'는 뜻의 낱말은 '짓다'이고 '짓고'가 바른 표현입니다. '짖다'는 '개가 목청으로 소리를 내다.'라는 뜻입니다.
  (2) 말의 다리가 단단하고 굳세다는 뜻이므로 '튼튼한'이 알맞습니다. '든든하다'는 '어떤 것에 대한 믿음이 있어 마음이 힘차다.'라는 뜻입니다.

(3) '물건을 포개어 구조물을 만든다.'라는 뜻의 '쌓다'는 받침 'ㅎ'을 써야 합니다.

8 (1) '형제'가 바른 표현입니다.
  (2) 낱말의 원래 모양은 '쫓아오다'이고 '쫓아와'가 바른 표현입니다.

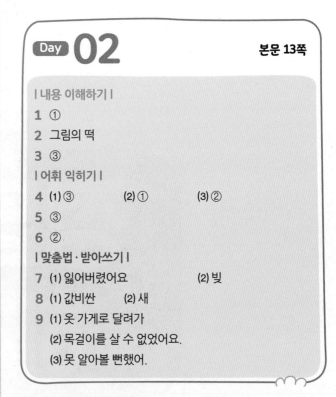

Day 02 본문 13쪽

| 내용 이해하기 |

1 ①
2 그림의 떡
3 ③

| 어휘 익히기 |

4 (1) ③   (2) ①   (3) ②
5 ③
6 ②

| 맞춤법 · 받아쓰기 |

7 (1) 잃어버렸어요   (2) 빚
8 (1) 값비싼   (2) 새
9 (1) 옷 가게로 달려가
  (2) 목걸이를 살 수 없었어요.
  (3) 못 알아볼 뻔했어.

| 내용 이해하기 |

1 가난한 마틸드는 자신의 초라한 처지를 괴로워했습니다.

2 마틸드는 가난했기 때문에 값비싼 목걸이를 살 수 없었습니다. 이렇게 '아무리 마음에 들어도 이용할 수 없거나 가질 수 없는 것.'을 뜻하는 관용어는 '그림의 떡'입니다.

3 마틸드의 친구는 마틸드가 진짜 목걸이를 사고 빚을 갚느라 힘들게 살았다는 말에 불쌍하다고 말했습니다.

| 어휘 익히기 |

5 '가난하다'는 '돈이 없어서 생활이 어렵다.'라는 뜻입니다. 반대말은 '살림이 넉넉할 만큼 돈이 많다.'라는 뜻의 '부유하다'입니다.

6 이미 용돈을 다 써서 가지고 싶었던 로봇 장난감을 살 수 없는 상황입니다. 이렇게 '아무리 마음에 들어도 이용할 수 없거나 가질 수 없는 것.'을 뜻하는 관용어는 '그림의 떡'입니다.

| 맞춤법 · 받아쓰기 |

7 (1) 낱말의 원래 모양은 '잃어버리다'이므로 겹받침 'ㅀ'을 쓰는 '잃어버렸어요'가 바른 표현입니다.
(2) '남에게 빌린 돈.'을 뜻하는 것이므로 '빚'이 알맞습니다. '빗'은 머리카락을 가지런하게 할 때 쓰는 물건입니다.

8 (1) 겹받침 'ㅆ'을 쓰는 '값비싸다'가 낱말의 원래 모양이고 '값비싼'이 바른 표현입니다.
(2) '어떤 일을 할 시간적인 틈이나 여유.'를 뜻하는 것이므로 '사이'의 준말인 '새'가 알맞습니다. '세'는 '셋의.'라는 뜻입니다.

| 어휘 익히기 |

5 상원이는 모든 장난감을 마음대로 가지고 놀 수 있는 곳에 가게 되어 매우 놀랐습니다. 그러므로 '매우 놀라 눈이 크고 둥그렇게 되다.'라는 뜻의 '눈이 휘둥그레지다'가 빈칸에 알맞습니다. '눈을 부릅뜨다'는 '무섭고 사납게 눈을 크게 뜨다.'라는 뜻입니다. '눈을 피하다'는 '보는 것을 피하다.'라는 뜻입니다.

6 민정이도 딸기를 먹고 싶었고 엄마도 딸기를 먹고 싶었던, 서로 마음이 통하는 상황에서 '이심전심'을 쓴 것이 알맞습니다.

| 맞춤법 · 받아쓰기 |

7 (1) 낱말의 원래 모양은 '후회하다'이고 '후회했어요'가 바른 표현입니다.
(2) '힘껏'이 바른 표현입니다.

8 (1) '잘 때나 깨어 있을 때나 늘.'을 뜻하므로 '자나깨나'가 바른 표현입니다.
(2) '그제서야가 바른 표현입니다.

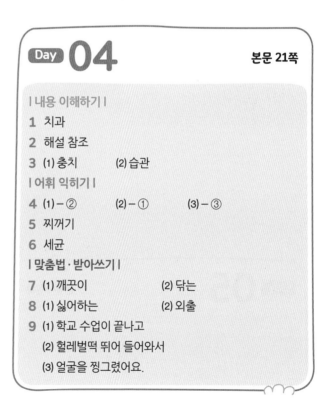

Day 03   본문 17쪽

| 내용 이해하기 |
1 ②
2 3 - 4 - 1 - 2
3 이심전심
| 어휘 익히기 |
4 (1) - ②   (2) - ③   (3) - ①
5 ②
6 ①
| 맞춤법 · 받아쓰기 |
7 (1) 후회했어요   (2) 힘껏
8 (1) 자나깨나   (2) 그제서야
9 (1) 아주 사이좋은 형제
(2) 눈앞에 아른거렸어요.
(3) 형제는 잘못을 깨달았어요.

| 내용 이해하기 |

1 형제는 다리를 건너다가 금 구슬 두 개를 발견했습니다.

3 '서로 마음이 통함.'을 뜻하는 한자 성어는 '이심전심'입니다.

Day 04   본문 21쪽

| 내용 이해하기 |
1 치과
2 해설 참조
3 (1) 충치   (2) 습관
| 어휘 익히기 |
4 (1) - ②   (2) - ①   (3) - ③
5 찌꺼기
6 세균
| 맞춤법 · 받아쓰기 |
7 (1) 깨끗이   (2) 닦는
8 (1) 싫어하는   (2) 외출
9 (1) 학교 수업이 끝나고
(2) 헐레벌떡 뛰어 들어와서
(3) 얼굴을 찡그렸어요.

| 내용 이해하기 |

1 민수는 할머니와 치과에 가기로 해서 발걸음이 무거웠습니다. 민수가 제일 싫어하는 곳이 치과이기 때문입니다.

2 민수는 아이스크림을 먹고 이가 아파서 얼굴을 찡그렸습니다.

3 (1) 이를 잘 닦지 않으면 세균과 음식 찌꺼기가 만나 충치가 생길 수 있습니다.
(2) 세균으로부터 몸을 보호하려면 몸을 깨끗이 하는 습관을 길러야 합니다.

| 어휘 익히기 |

4 (1) ②의 여자아이가 고개를 이쪽저쪽으로 기울이고 있으므로 '갸웃갸웃'과 어울립니다.
(2) ①의 남자아이가 느리게 힘없이 걷고 있으므로 '터벅터벅'과 어울립니다.
(3) ③의 여자아이가 급하게 뛰어가고 있으므로 '헐레벌떡'과 어울립니다.

6 손을 비누로 깨끗이 씻어야 세균이 없어집니다.

| 맞춤법·받아쓰기 |

7 (1) '깨끗이'가 바른 표현입니다.
(2) 낱말의 원래 모양은 '닦다'이고 '닦는'이 바른 표현입니다.

8 (1) 낱말의 원래 모양은 '싫어하다'이고 겹받침 'ㄶ'이 들어간 '싫어하는'이 바른 표현입니다.
(2) '외출'이 바른 표현입니다.

1주차 복습

본문 28쪽

(1) 포기하다 (2) 재료 (3) 부유하다
(4) 아른거리다 (5) 세균 (6) 과식
(7) 인구

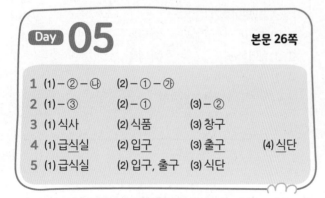

Day 05

본문 26쪽

1 (1) - ② - ④ (2) - ① - ㉮
2 (1) - ③ (2) - ① (3) - ②
3 (1) 식사 (2) 식품 (3) 창구
4 (1) 급식실 (2) 입구 (3) 출구 (4) 식단
5 (1) 급식실 (2) 입구, 출구 (3) 식단

1 (1) 食 먹을(먹다) 식 (2) 口 입 구

2주차

Day 06

본문 31쪽

| 내용 이해하기 |

1 ③

2 해설 참조

3 우물 안 개구리

| 어휘 익히기 |

4 (1) – ②   (2) – ①

5 (1) 다물었다   (2) 쟀다   (3) 으스댔다

6 ②

| 맞춤법 · 받아쓰기 |

7 (1) 쟬   (2) 떼

8 (1) 궁금했어요   (2) 깊어요

9 (1) 개구리 한 마리

    (2) 아주 넓고 멋진 곳이란다.

    (3) 요리조리 헤엄쳐 다녀.

| 내용 이해하기 |

1 ① 개구리가 거북에게 누구인지 묻고 거북이 자기 소개를 하는 것으로 보아 개구리와 거북은 처음 만난 사이입니다.

② 개구리가 우물이 아주 넓고 멋진 곳이라고 했으므로 우물 안에서 사는 것을 좋아할 것입니다.

2 거북이 개구리에게 바다에 대해 이야기해 주자 개구리는 놀라서 쩍 벌어진 입을 다물지 못했습니다.

| 어휘 익히기 |

6 여자아이는 학교 달리기 대회에서 1등을 하고 '나보다 빠른 사람은 없을 거야.'라고 생각했지만, 더 큰 대회에 나가보니 자신보다 달리기를 잘하는 사람이 많다는 것을 알았습니다. 이렇게 사회의 형편을 모르거나 보고 들은 경험이 적은 사람을 '우물 안 개구리'라고 합니다.

| 맞춤법 · 받아쓰기 |

7 (1) 낱말의 원래 모양은 '재다'이고 '쟀이 바른 표현입니다.

(2) 새 여러 마리를 뜻하는 것이므로 '떼'가 바른 표현입니다. '때'는 '시간의 어떤 순간이나 부분.'이라는 뜻입니다.

8 (1) 낱말의 원래 모양은 '궁금하다'이고 '궁금했어요'가 바른 표현입니다.

(2) 낱말의 원래 모양은 '깊다'이고 '깊어요'가 바른 표현입니다.

Day 07

본문 35쪽

| 내용 이해하기 |

1 해설 참조

2 ②

3 서쪽

| 어휘 익히기 |

4 ③

5 (1) ×   (2) ○   (3) ○

6 ③

| 맞춤법 · 받아쓰기 |

7 (1) – ②   (2) – ④

8 (1) 실수   (2) 연못

9 (1) 딱 하나밖에 없는 도끼인데

    (2) 하얀 연기가 피어오르고

    (3) 참 정직한 나무꾼이로구나.

| 내용 이해하기 |

1 나무꾼은 낡은 쇠도끼를 연못에 빠뜨렸습니다.

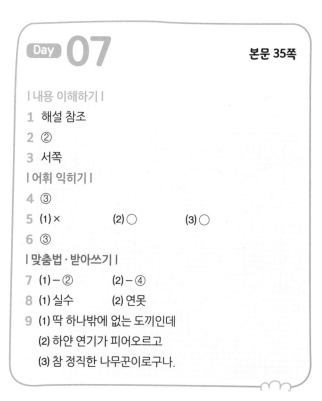

2 "참 정직한 나무꾼이로구나. 너에게 금도끼와 은도끼도 모두 주겠다."라는 신령님의 말을 통해 알 수 있습니다.

3 나무꾼이 나무를 하러 갔다가 신령님을 만나 금도끼, 은도끼를 얻은 것은 아주 뜻밖의 일입니다. 이렇게 전혀 예상 밖의 일이나 절대로 있을 수 없는 희한한 일이 생겼을 때 "해가 서쪽에서 떴나?"라고 합니다.

| 어휘 익히기 |

4 ③ '행운'은 '좋은 운수.'라는 뜻입니다. '잘 알지 못하거나 조심하지 않아서 저지르는 잘못.'은 '실수'의 뜻입니다.

6 여자아이가 매일 늦잠을 자다가 어느 날 일찍 일어나서 엄마께서 놀라신 상황입니다. 이렇게 예상 밖의 희한한 일이 생겼을 때 '해가 서쪽에서 떴나?'라는 표현을 씁니다.

| 맞춤법·받아쓰기 |

7 (1) '깊다'가 바른 표현입니다.
　 (2) '떴다'가 바른 표현입니다.

8 (1) [실쑤]로 소리 나지만 '실수'가 바른 표현입니다.
　 (2) '연못'이 바른 표현입니다.

| 맞춤법·받아쓰기 |

7 (1) '재채기'가 바른 표현입니다.
　 (2) '말썽'과 '-쟁이'가 한 낱말로 합쳐진 '말썽쟁이'가 바른 표현입니다. '-쟁이'는 '그 특징을 많이 가진 사람'이라는 뜻을 더해 주는 말이고, '-장이'는 '그것과 관련된 기술을 가진 사람'이라는 뜻을 더해 주는 말입니다.

8 (1) 낱말의 원래 모양은 '길어지다'이고 '길어졌어요'가 바른 표현입니다.
　 (2) 낱말의 원래 모양은 '피우다'이고 '피웠어요'가 바른 표현입니다.

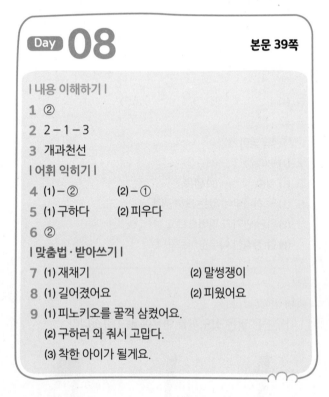

Day 08　　　본문 39쪽

| 내용 이해하기 |
1 ②
2 2 – 1 – 3
3 개과천선
| 어휘 익히기 |
4 (1) – ②　　　(2) – ①
5 (1) 구하다　　(2) 피우다
6 ②
| 맞춤법·받아쓰기 |
7 (1) 재채기　　　　　(2) 말썽쟁이
8 (1) 길어졌어요　　　(2) 피웠어요
9 (1) 피노키오를 꿀꺽 삼켰어요.
　 (2) 구하러 와 줘서 고맙다.
　 (3) 착한 아이가 될게요.

| 내용 이해하기 |

1 피노키오는 천사에게 "저는 오기 싫다는데 여우와 고양이가 저를 억지로 끌고 왔어요."라고 거짓말했습니다.

3 '잘못을 고쳐 올바르고 착하게 됨.'을 뜻하는 한자 성어는 '개과천선'입니다.

| 어휘 익히기 |

6 ② 현우는 친구들을 자주 놀리고 싸우는 잘못을 했습니다. 하지만 엄마와 약속한 뒤로는 친구들과 사이좋게 지내는 올바르고 착한 아이가 되었습니다. '개과천선'은 '잘못을 고쳐 올바르고 착하게 됨.'을 뜻하는 한자 성어입니다.

Day 09　　　본문 43쪽

| 내용 이해하기 |
1 (1) X　　　(2) ○　　　(3) ○
2 변덕쟁이
3 (1) 황사　　(2) 꽃가루　　(3) 꽃샘추위
| 어휘 익히기 |
4 (1) – ③　　(2) – ①　　(3) – ②
5 (1) 시샘했다　(2) 터뜨렸다
6 ③
| 맞춤법·받아쓰기 |
7 (1) 거예요　(2) 밖에　　(3) 갑자기
8 (1) 날아와요　(2) 차가운
9 (1) 하늘도 뿌옇고요.
　 (2) 꽃가루도 날아다녔어요.
　 (3) 꽃이 피는 것을 시샘하는

| 내용 이해하기 |

1 (1) 하늘이는 황사가 있는 날에는 밖에 나가지 않는 것이 좋다는 엄마 말씀을 듣고 집에 있었습니다.

2 "봄 날씨는 변덕쟁이인가 봐요."라는 하늘이의 말에서 알 수 있습니다.

| 어휘 익히기 |

6 봄에는 날씨가 따뜻했다가도 추워지기도 합니다. 이런 날씨를 '꽃샘추위'라고 합니다.

7 (1) '거'에 받침이 없으므로 '거예요'라고 써야 합니다.

(2) '어떤 선이나 금을 넘어선 쪽.'을 뜻하는 '밖'에 '에'가 붙은 것이므로 '밖에'라고 써야 합니다.

(3) [갑짜기]로 소리 나지만 '갑자기'가 바른 표현입니다.

8 (1) 낱말의 원래 모양은 '날아오다'이고 '날아와요'가 바른 표현입니다.

(2) 낱말의 원래 모양은 '차갑다'이고 '차가운'이 바른 표현입니다.

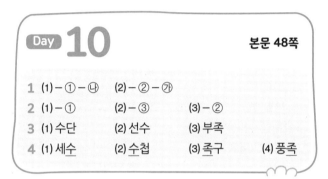

Day 10 본문 48쪽

1 (1)-①-㉴　(2)-②-㉮
2 (1)-①　(2)-③　(3)-②
3 (1) 수단　(2) 선수　(3) 부족
4 (1) 세수　(2) 수첩　(3) 족구　(4) 풍족

1 (1) 手 손 수 (2) 足 발 족

2주차 복습 본문 50쪽

(1) 으스대다　(2) 정직하다　(3) 피우다
(4) 꽃가루　(5) 꽃샘추위　(6) 수제
(7) 만족

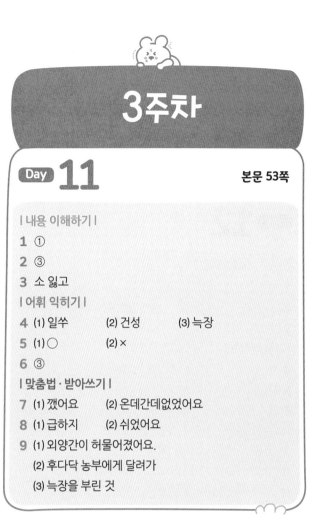

Day 11 본문 53쪽

| 내용 이해하기 |
1 ①
2 ③
3 소 잃고
| 어휘 익히기 |
4 (1) 일쑤　(2) 건성　(3) 늑장
5 (1) ○　(2) ×
6 ③
| 맞춤법 · 받아쓰기 |
7 (1) 깼어요　(2) 온데간데없었어요
8 (1) 급하지　(2) 쉬었어요
9 (1) 외양간이 허물어졌어요.
(2) 후다닥 농부에게 달려가
(3) 늑장을 부린 것

| 내용 이해하기 |

1 농부는 게을러서 모든 일을 미루기 일쑤였습니다.

2 아내가 농부에게 외양간을 얼른 고치라고 말했지만, 농부는 계속 일을 미루었습니다. 그 사이에 소가 도망갔고 농부는 외양간을 일찍 고치지 않은 것을 후회했습니다.

| 어휘 익히기 |

5 (2) 엄마는 내가 음식을 골고루 먹으면 마음에 들어하실 것입니다.

6 자전거를 제 때에 고치지 않아서 다치고 난 다음에야 자전거를 고치는 상황입니다. 이렇게 일이 이미 잘못된 뒤에 손을 써도 소용이 없는 경우를 '소 잃고 외양간 고친다'고 합니다.

| 맞춤법 · 받아쓰기 |

7 (1) 낱말의 원래 모양은 '깨다'이고 '깼어요'가 바른 표현입니다.

(2) 낱말의 원래 모양은 '온데간데없다'이고 '온데간데없-'에 '-었어요'가 붙은 '온데간데없었어요'가 바른 표현입니다.

8 (1) [그파지]로 소리 나지만 낱말의 원래 모양은 '급하다'입니다. 그러므로 '급하지'가 바른 표현입니다.

(2) 낱말의 원래 모양은 '쉬다'이고 '쉬-'에 '-었어요'가
붙은 '쉬었어요'가 바른 표현입니다. '쉬웠어요'는 '하기
에 힘들거나 어렵지 않았어요.'라는 뜻의 낱말입니다.

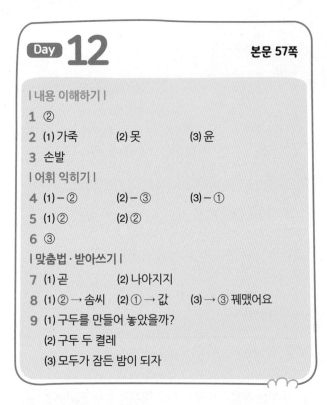

Day 12　　　　　　　　　本문 57쪽

| 내용 이해하기 |

1 ②

2 (1) 가죽　　　　(2) 못　　　　(3) 윤

3 손발

| 어휘 익히기 |

4 (1) − ②　　　(2) − ③　　　(3) − ①

5 (1) ②　　　　(2) ②

6 ③

| 맞춤법·받아쓰기 |

7 (1) 곧　　　　(2) 나아지지

8 (1) ② → 솜씨　(2) ① → 값　(3) → ③ 꿰맸어요

9 (1) 구두를 만들어 놓았을까?

　(2) 구두 두 켤레

　(3) 모두가 잠든 밤이 되자

| 내용 이해하기 |

1 할아버지는 전날 밤에 준비해 둔 가죽이 다음 날 아침
에 구두가 되어 있어서 깜짝 놀랐습니다.

3 '함께 일을 할 때 행동 방식이 맞다.'는 뜻의 관용어는
'손발이 맞다'입니다.

| 어휘 익히기 |

5 (1) '꿰매다'는 '벌어진 데를 바늘로 잇다.'라는 뜻입니다.
　(2) '금세'는 '시간이 얼마 지나지 않아서.'라는 뜻입니다.

6 모둠 친구들이 각자 청소할 곳을 정해 청소가 금방 끝
날 것 같은 상황입니다. 이렇게 함께 일하며 마음이 잘
맞을 때 '손발이 맞는다'고 합니다.

| 맞춤법·받아쓰기 |

7 (1) '시간이 많이 흐르지 않고 머지않아.'의 뜻으로 쓰였
으므로 '곧'이 바른 표현입니다. '곳'은 '일정한 장소나 위
치.'라는 뜻입니다.
　(2) 낱말의 원래 모양은 '나아지다'이고 '나아지지'가 바
른 표현입니다. '낮지'의 원래 모양은 '낮다'이고, '아래에
서 위까지의 길이가 짧다.'라는 뜻입니다.

8 (1) '솜씨'가 바른 표현입니다.
　(2) '값'이 바른 표현입니다.
　(3) 낱말의 원래 모양은 '꿰매다'이고 '꿰맸어요'가 바른
표현입니다.

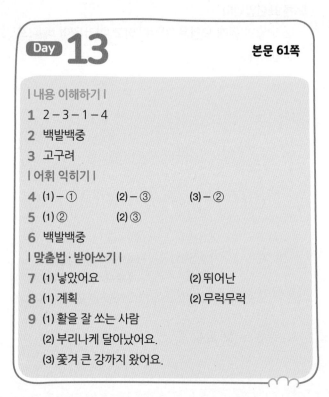

Day 13　　　　　　　　　본문 61쪽

| 내용 이해하기 |

1 2 − 3 − 1 − 4

2 백발백중

3 고구려

| 어휘 익히기 |

4 (1) − ①　　　(2) − ③　　　(3) − ②

5 (1) ②　　　　(2) ③

6 백발백중

| 맞춤법·받아쓰기 |

7 (1) 낳았어요　　　　　　(2) 뛰어난

8 (1) 계획　　　　　　　　(2) 무럭무럭

9 (1) 활을 잘 쏘는 사람

　(2) 부리나케 달아났어요.

　(3) 쫓겨 큰 강까지 왔어요.

| 내용 이해하기 |

2 활을 쏘기만 하면 다 맞히는 것을 나타내는 한자 성어
는 '백발백중'입니다.

3 주몽이 남쪽으로 내려가 세운 나라의 이름은 고구려입
니다.

| 어휘 익히기 |

5 (1) '질투하다'는 '다른 사람이 잘되거나 좋은 처지에 있
는 것을 괜히 미워하고 싫어하다.'라는 뜻이고, '시샘하
다'는 '자기보다 더 잘되거나 나은 사람을 이유 없이 미
워하고 싫어하다.'라는 뜻입니다.
　(2) '부리나케'는 '서둘러서 아주 급하게.'라는 뜻입니다.

6 활 솜씨가 뛰어나서 활을 쏠 때마다 맞히는 것을 나타
내는 한자 성어는 '백발백중'입니다.

| 맞춤법·받아쓰기 |

7 (1) 낱말의 원래 모양은 '낳다'이고 '낳았어요'가 바른 표
현입니다. '나았어요'의 원래 모양은 '낫다'이고 '병이나

상처 등이 없어져 본래대로 되다.'라는 뜻입니다.

(2) 낱말의 원래 모양은 '뛰어나다'이고 '뛰어난'이 바른 표현입니다.

8 (1) '계획'이 바른 표현입니다.

(2) [무렁무럭]으로 소리 나지만 '무럭무럭'이 바른 표현입니다.

7 (1) '쓰레기'가 바른 표현입니다.

(2) '설거지'가 바른 표현입니다.

8 (1) 낱말의 원래 모양은 '쉽다'이고 '쉽고'가 바른 표현입니다.

(2) '담당'이 바른 표현입니다.

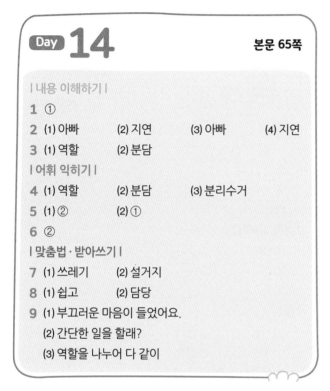

Day 14   본문 65쪽

| 내용 이해하기 |

1 ①

2 (1) 아빠   (2) 지연   (3) 아빠   (4) 지연

3 (1) 역할   (2) 분담

| 어휘 익히기 |

4 (1) 역할   (2) 분담   (3) 분리수거

5 (1) ②   (2) ①

6 ②

| 맞춤법·받아쓰기 |

7 (1) 쓰레기   (2) 설거지

8 (1) 쉽고   (2) 담당

9 (1) 부끄러운 마음이 들었어요.

(2) 간단한 일을 할래?

(3) 역할을 나누어 다 같이

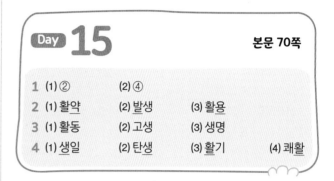

Day 15   본문 70쪽

1 (1) ②   (2) ④

2 (1) 활약   (2) 발생   (3) 활용

3 (1) 활동   (2) 고생   (3) 생명

4 (1) 생일   (2) 탄생   (3) 활기   (4) 쾌활

1 (1) 生 날 생 (2) 活 살 활

| 내용 이해하기 |

1 지연이는 집안일 대부분을 하고 계신 엄마께 죄송하고 부끄러운 마음이 들었습니다.

2 "그럼 네가 밥 먹고 식탁 치우기와 빨래 개기 같은 간단한 일을 할래? 아빠는 설거지와 베란다 청소를 맡을게."라는 아빠의 말을 통해 알 수 있습니다.

| 어휘 익히기 |

5 (1) 할머니께서 드릴 편지와 선물을 준비하는 것은 자랑스러울 만한 일입니다.

(2) 주변 사람들을 잘 챙기는 것은 이해심이 많은 것입니다.

6 '역할 분담'은 '해야 하는 일이나 책임 등을 나누어 맡음.'이라는 뜻입니다. 여러 일을 각각 나누어 맡아서 하기로 한 ②의 친구들이 역할 분담을 잘하고 있습니다.

3주차   복습   본문 72쪽

(1) 건성   (2) 형편   (3) 금세

(4) 부리나케   (5) 역할   (6) 생명

(7) 활약

4주차

ㅣ내용 이해하기ㅣ

1 ②

2 ③

3 남의 떡

ㅣ어휘 익히기ㅣ

4 (1) – ②   (2) – ③   (3) – ①

5 (1) 인기   (2) 샘

6 해설 참조

ㅣ맞춤법·받아쓰기ㅣ

7 (1) 꾸짖으셨어요   (2) 두리번거리다

8 (1) ① → 멋진   (2) ② → 바람

9 (1) 햇살이 따뜻한 어느 날

    (2) 둘러싸여 있었어요.

    (3) 모두에게 각자 필요한 것

ㅣ내용 이해하기ㅣ

1 낙타는 황소의 인기가 많은 것이 크고 멋진 뿔 덕분인 것 같았습니다.

2 제우스는 욕심을 부린 낙타를 꾸짖고 낙타의 귀를 반으로 잘라 버렸습니다.

3 낙타는 황소의 멋진 뿔이 좋아 보여서 제우스 신에게 자신도 황소처럼 뿔을 달아 달라고 졸랐습니다. '내 것보다 다른 사람의 것이 더 좋게 느껴진다.'라는 뜻의 속담은 '남의 떡이 더 커 보인다'입니다.

ㅣ어휘 익히기ㅣ

6 비슷한 로봇을 들고 있는데도 친구의 로봇이 더 좋아 보인다고 생각하고 있는 오른쪽 친구가 '남의 떡이 더 커 보인다'라는 속담과 어울립니다.

ㅣ맞춤법·받아쓰기ㅣ

7 (1) 낱말의 원래 모양은 '꾸짖다'이고 '꾸짖으셨어요'가

바른 표현입니다.

    (2) '두리번거리다'가 바른 표현입니다.

8 (1) [멛찐]으로 소리 나지만 '멋진'이 바른 표현입니다.

    (2) '바람'이 바른 표현입니다.

ㅣ내용 이해하기ㅣ

1 간

2 ②

3 바람

ㅣ어휘 익히기ㅣ

4 (1) 헤매다   (2) 결심하다   (3) 명령하다

5 (1) ×   (2) ○   (3) ○

6 ③

ㅣ맞춤법·받아쓰기ㅣ

7 (1) 나을   (2) 끊이지   (3) 헤매었어요

8 (1) 풀숲   (2) 생활

9 (1) 강충강충 뛰어노는 토끼

    (2) 향긋한 꽃향기로 가득하지.

    (3) 뛸 듯이 기뻤어요.

ㅣ내용 이해하기ㅣ

1 "용왕님, 토끼의 간을 드시면 병이 나을 것입니다."라는 병을 잘 고치는 의원의 말에서 알 수 있습니다.

2 향긋한 꽃향기로 가득한 곳은 토끼가 사는 들판입니다.

3 '무슨 행동을 하려는 마음이 생기게 만들다.'라는 뜻의 관용어는 '바람을 넣다'입니다.

ㅣ어휘 익히기ㅣ

5 (1) '우뚝우뚝'은 '두드러지게 높이 솟은 모양.'을 말합니다. (1)의 건물은 높이가 낮습니다.

6 '무슨 행동을 하려는 마음이 생기게 만들다.'라는 뜻의 관용어는 '바람을 넣다'입니다.

7 (1) 낱말의 원래 모양은 '낫다'이고 '나을'이 바른 표현입니다. '낳을'의 원래 모양은 '낳다'이고, '배 속의 아이를 몸 밖으로 내보내다.'라는 뜻입니다.

(2) 낱말의 원래 모양은 '끊다'이고 '끊이지'가 바른 표현입니다.

(3) 낱말의 원래 모양은 '헤매다'이고 '헤매었어요'가 바른 표현입니다.

8 (1) [풀숩]으로 소리 나지만 '풀숲'이 바른 표현입니다.

(2) '생활'이 바른 표현입니다.

Day 18 　　　　　　　　　本문 83쪽

| 내용 이해하기 |

1 ③

2 애지중지

3 돌덩이, 해설 참조

| 어휘 익히기 |

4 (1) – ②　　　　(2) – ③　　　　(3) – ①

5 해설 참조

6 애지중지

| 맞춤법 · 받아쓰기 |

7 (1) 묻어　　　　(2) 흡족한

8 (1) 대체　　　　(2) 잃어버리다니

9 (1) 멀리 일을 보러 갔어요.

(2) 무엇을 할 생각이었어요?

(3) 잘 간직하려고 했지요.

| 내용 이해하기 |

1 구두쇠는 평생 모은 돈으로 큰 금덩이를 하나 사서 텃밭 깊숙이 묻어 두었습니다.

2 무언가를 매우 사랑하고 소중히 여길 때, 그것을 '애지중지'한다고 합니다.

3 나그네는 구두쇠에게 금덩이 대신 돌덩이를 묻어 두라고 했습니다. '돌덩이'는 '바위보다는 작고 돌멩이보다 큰 돌.'입니다.

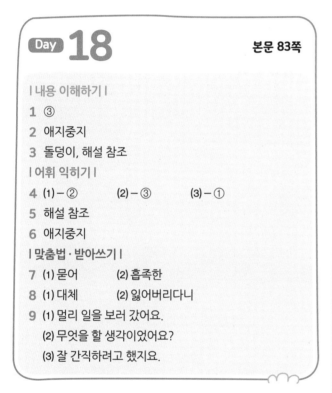

---

5 '평생'은 '세상에 태어나서 죽을 때까지의 동안.'이므로 모든 칸을 다 칠해야 합니다.

태어남　　　　　　　　　　　　　죽음

6 오빠는 모형 비행기를 정말 소중하게 여기고 아낍니다. 무언가를 매우 사랑하고 소중히 여길 때, 그것을 '애지중지'한다고 합니다.

| 맞춤법 · 받아쓰기 |

7 (1) 낱말의 원래 모양은 '묻다'이고 '묻어'가 바른 표현입니다.

(2) [흡쪼칸]으로 소리 나지만 '흡족한'이 바른 표현입니다.

8 (1) '대체'가 바른 표현입니다.

(2) 낱말의 원래 모양은 '잃어버리다'이고 '잃어버리다니'가 바른 표현입니다.

Day 19 　　　　　　　　　本문 87쪽

| 내용 이해하기 |

1 (1) ×　　　　(2) ○

2 (1) – ②　　　　(2) – ①

3 (1) 준비 운동　(2) 구명조끼　(3) 차단제　(4) 발

| 어휘 익히기 |

4 (1) ②　　　　(2) ①　　　　(3) ③

5 마치

6 안전 수칙

| 맞춤법 · 받아쓰기 |

7 (1) 가리켰다　　(2) 조끼

8 (1) 커다랗게　　(2) 햇볕

9 (1) 파도가 밀려오면

(2) 시간 가는 줄 몰랐어요.

(3) 안전 장비 착용

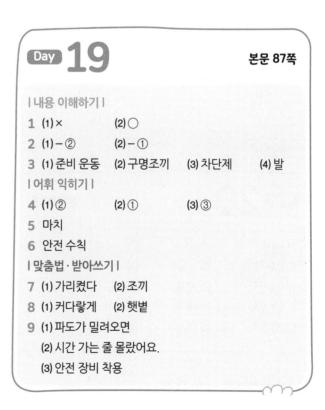

1 (1) 민호는 한달음에 바다로 들어가고 싶었지만 참았습니다. 그리고 아빠와 함께 준비 운동을 하고 구명조끼를 입었습니다.

(2) "뜨거운 햇볕 아래에서 너무 오래 놀아 피부가 빨갛게 되어 버렸네."라는 엄마의 말에서 알 수 있습니다.

2 (1) 민호는 아빠와 함께 안전을 위해 준비 운동을 하고 구명조끼를 입었습니다.

(2) 민호가 얼굴과 어깨가 너무 따갑다고 하자 엄마가 민호에게 냉찜질을 해 주셨습니다.

3 글의 마지막 문단에서 알 수 있습니다.

| 어휘 익히기 |

6 친구들이 물놀이 전에 해야 할 일과 물놀이 중에 조심해야 할 일에 대해 이야기하고 있습니다.

| 맞춤법·받아쓰기 |

7 (1) 낱말의 원래 모양은 '가리키다'이고 '가리키-'에 '-었다'가 붙어서 줄어든 말입니다.

(2) '조끼'가 바른 표현입니다.

8 (1) 낱말의 원래 모양은 '커다랗다'이고 '커다랗게'가 바른 표현입니다.

(2) '해'와 '볕'이 한 낱말이 되면서 '해' 밑에 'ㅅ' 받침을 덧붙인 '햇볕'이 바른 표현입니다.

4주차 **복습** 본문 94쪽

(1) 꾸짖다   (2) 헤매다   (3) 간직하다
(4) 마치   (5) 착용   (6) 천연
(7) 지구

Day 20 본문 92쪽

1 (1) ②   (2) ④
2 (1) - ③   (2) - ①   (3) - ②
3 (1) 천국   (2) 지구   (3) 지도
4 (1) 천사   (2) 대지   (3) 양지
5 (1) 천사   (2) 대지   (3) 양지

1 (1) 天 하늘 천 (2) 地 땅 지

5주차

Day 21
본문 97쪽

| 내용 이해하기 |

1 (1) – ③ (2) – ②

2 ③

3 (1) 입 (2) 약

| 어휘 익히기 |

4 (1) ① (2) ③ (3) ②

5 ③

6 ③

| 맞춤법 · 받아쓰기 |

7 (1) 세차게 (2) 뒤집었어요 (3) 익히려고

8 (1) 조용히 (2) 몹시

9 (1) 세상을 다스리게 되는 꿈

(2) 샘이 나는 모양이구나!

(3) 한쪽으로 쏠렸어요.

| 내용 이해하기 |

1 망둥 할멈은 멸치의 꿈을 멸치가 용이 될 꿈이라고 풀이했고, 가자미는 멸치가 용이 되는 꿈이 아니고 나쁜 꿈이라고 풀이했습니다.

2 멸치가 가자미의 뺨을 세차게 때려서 가자미의 눈이 한쪽으로 쏠렸습니다.

3 멸치는 가자미가 꿈에 대해 나쁘게 이야기하며 충고하는 것을 듣기 싫어했습니다. '듣기 싫은 충고가 많은 도움을 준다.'라는 뜻의 속담은 '입에 쓴 약이 몸에 좋다'입니다.

| 어휘 익히기 |

5 '후끈후끈'은 열을 받아서 자꾸 뜨거워지는 모양입니다. 아이스크림을 많이 먹으면 몸이 '으슬으슬' 추워질 것입니다.

6 선호가 친구의 충고를 받아들이지 않고 있으므로 선생님은 선호에게 충고를 들으면 도움이 된다고 말씀하실 것입니다. '듣기 싫은 충고가 많은 도움을 준다.'라는 뜻의 속담은 '입에 쓴 약이 몸에 좋다'입니다.

| 맞춤법 · 받아쓰기 |

7 (1) 낱말의 원래 모양은 '세차다'이고 '세차게'가 바른 표현입니다.

(2) 낱말의 원래 모양은 '뒤집다'이고 '뒤집었어요'가 바른 표현입니다.

(3) [이키려고]로 소리 나지만, 낱말의 원래 모양은 '익히다'입니다. 따라서 '익히려고'가 바른 표현입니다.

8 (1) '조용히'가 바른 표현입니다.

(2) [몹씨]로 소리 나지만 '몹시'가 바른 표현입니다.

Day 22
본문 101쪽

| 내용 이해하기 |

1 (1) – ③ (2) – ① (3) – ②

2 머리

3 ③

| 어휘 익히기 |

4 ①

5 (1) 재주 (2) 폭풍우 (3) 순식간

6 ③

| 맞춤법 · 받아쓰기 |

7 (1) 재주 (2) 내다보니

8 (1) ③ → 날아다녀요 (2) ③ → 되찾을

9 (1) 한 가지씩 배워 왔어요.

(2) 세상에서 빛이 사라졌어요.

(3) 다시 눈부시게 환해졌어요.

| 내용 이해하기 |

1 첫째는 방석을 타고 하늘을 날아다니는 재주를, 둘째는 아주 먼 곳까지 내다보는 재주를, 셋째는 화살을 쏘기만 하면 명중하는 재주를 배웠습니다.

2 삼 형제는 해를 되찾을 방법에 대해 의논했습니다. '어떤 일을 의논하기 위해 서로 마주 대하다.'라는 뜻의 관용어는 '머리를 맞대다'입니다.

3 삼 형제는 수컷 용이 다시 나타나 해를 삼키지 못하도록 해를 지키는 별이 되었습니다.

| 어휘 익히기 |

4 '공격하다'는 '전쟁에서 적을 치다.'라는 뜻이고 '외부의 침략을 막다.'는 '수비하다'라는 낱말의 뜻입니다.

6 생쥐들은 고양이를 피할 방법을 의논했습니다. '어떤 일을 의논하기 위해 서로 마주 대하다.'라는 뜻의 관용어는 '머리를 맞대다'입니다.

7 (1) '재주'가 바른 표현입니다.

(2) 낱말의 원래 모양은 '내다보다'이고 '내다보니'가 바른 표현입니다.

8 (1) 낱말의 원래 모양은 '날아다니다'이고 '날아다녀요'가 바른 표현입니다.

(2) 낱말의 원래 모양은 '되찾다'이고 '되찾을'이 바른 표현입니다.

7 (1) 낱말의 원래 모양은 '매다'이고 '매고'가 바른 표현입니다. '메고'의 원래 낱말인 '메다'는 '물건을 어깨나 등에 올려놓다.'라는 뜻입니다.

(2) '듬뿍'이 바른 표현입니다.

8 (1) [팥쭉]으로 소리 나지만 '팥'과 '죽'이 한 낱말로 합쳐진 '팥죽'이 바른 표현입니다.

(2) 낱말의 원래 모양은 '잡아먹다'이고 '잡아먹었어요'가 바른 표현입니다.

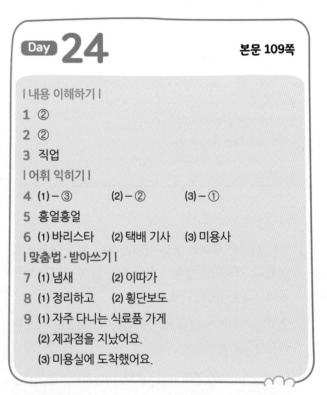

Day 23   본문 105쪽

| 내용 이해하기 |

1 ②

2 (1) – ①   (2) – ③   (3) – ②   (4) – ④

3 자포자기

| 어휘 익히기 |

4 (1) 절구   (2) 지게   (3) 멍석

5 (1) – ②   (2) – ③   (3) – ①

6 ①

| 맞춤법·받아쓰기 |

7 (1) 매고   (2) 듬뿍

8 (1) 팥죽   (2) 잡아먹었어요

9 (1) 팥죽을 쑤어 줄 테니

(2) 집안 곳곳에 숨었어요.

(3) 강물에 풍덩 빠뜨렸어요.

Day 24   본문 109쪽

| 내용 이해하기 |

1 ②

2 ②

3 직업

| 어휘 익히기 |

4 (1) – ③   (2) – ②   (3) – ①

5 흥얼흥얼

6 (1) 바리스타   (2) 택배 기사   (3) 미용사

| 맞춤법·받아쓰기 |

7 (1) 냄새   (2) 이따가

8 (1) 정리하고   (2) 횡단보도

9 (1) 자주 다니는 식료품 가게

(2) 제과점을 지났어요.

(3) 미용실에 도착했어요.

| 내용 이해하기 |

1 할머니는 곧 호랑이가 자신을 잡아먹으러 온다는 것이 생각났고, 자포자기한 채 울면서 팥죽을 쑤었습니다.

3 '절망에 빠져서 스스로 자신을 돌보지 않고 모든 일을 포기함.'이라는 뜻의 한자 성어는 '자포자기'입니다.

| 어휘 익히기 |

5 (1) '쑤다'는 '곡식의 알갱이나 가루를 물에 끓여 익혀서 죽을 만들다.'라는 뜻입니다.

(2) '거두다'는 '익은 곡식을 모아서 가져오다.'라는 뜻입니다.

(3) '매다'는 '논밭에 난 잡초를 뽑아내다.'라는 뜻입니다.

6 '자포자기'한 상황은 모든 일을 포기하는 상황입니다.

| 내용 이해하기 |

1 교통경찰 아저씨는 호루라기를 불면서 사람들이 안전하게 길을 건널 수 있도록 수신호를 보내고 있었습니다.

2 미나는 제과점을 지날 때 제빵사 아저씨가 빵을 만들고 있는 것을 보았습니다.

3 '직업'은 '돈을 벌기 위해 정해 놓고 하는 일'입니다. 경찰, 의사, 제빵사, 바리스타 등 다양한 직업이 있습니다.

| 어휘 익히기 |

5 아이는 흥얼흥얼 노래를 부르고 있습니다.

| 맞춤법·받아쓰기 |

7 (1) '냄새'가 바른 표현입니다.

(2) '조금 뒤에'라는 의미가 되어야 하므로 '이따가'가 바른 표현입니다. '있다가'는 '어딘가에 머물다가.'라는 뜻입니다.

8 (1) [정니하고]로 소리 나지만 낱말의 원래 모양은 '정리하다'입니다. 따라서 '정리하고'가 바른 표현입니다.
  (2) 모음 'ㅚ'를 쓴 '횡단보도'가 바른 표현입니다.

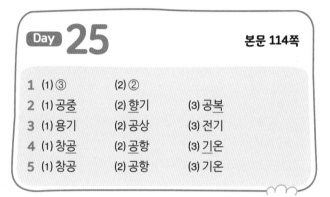

Day 25 본문 114쪽

1 (1) ③   (2) ②
2 (1) 공중   (2) 향기   (3) 공복
3 (1) 용기   (2) 공상   (3) 전기
4 (1) 창공   (2) 공항   (3) 기온
5 (1) 창공   (2) 공항   (3) 기온

1 (1) 空 빌 공 (2) 氣 기운 기

5주차 복습 본문 116쪽

(1) 감격하다   (2) 순식간   (3) 잽싸다
(4) 절구   (5) 직업   (6) 공복
(7) 용기

6주차

Day 26 본문 119쪽

| 내용 이해하기 |

1 검소하게
2 ②
3 벼 이삭

| 어휘 익히기 |

4 (1) – ①   (2) – ②
5 (1) 자만심   (2) 검소하게
6 ②

| 맞춤법 · 받아쓰기 |

7 (1) 지그시   (2) 세게
8 (1) 흘러넘쳐요   (2) 숙이면서
9 (1) 좌우명이 무엇입니까?
  (2) 차나 한 잔 마시고 가라며
  (3) 못 이기는 척

| 내용 이해하기 |

1 맹사성은 낡은 집에서 검소하게 살았습니다.

2 "그야 간단하지요. '착한 일을 많이 하자.'입니다."라는 스님의 말에서 알 수 있습니다.

3 스님은 거만한 태도를 보인 맹사성에게 겸손할 것을 충고했습니다. '훌륭한 사람일수록 겸손하고 남 앞에서 자기를 내세우지 않는다.'는 뜻의 속담은 '벼 이삭은 익을수록 고개를 숙인다'입니다.

| 어휘 익히기 |

5 (1) '자만심'은 잘난 체하는 마음을 말합니다. '존경'은 어떤 사람의 훌륭한 인격을 높이고 받듦.'이라는 뜻입니다.
  (2) 물건을 아껴 쓰는 것은 '검소하게' 사는 것입니다. '거만하다'는 '잘난 체하며 남을 업신여기는 데가 있다.'라는 뜻입니다.

6 그림 대회에서 상을 받고 겸손한 태도를 보인 ②의 상황이 '벼 이삭은 익을수록 고개를 숙인다'와 어울립니다.

| 맞춤법 · 받아쓰기 |

7 (1) '슬며시 힘을 주는 모양.'의 뜻이 되어야 하므로 '지그시'가 바른 표현입니다. '지긋이'는 '나이가 비교적 많아 듬직하게.'라는 뜻입니다.

(2) 낱말의 원래 모양은 '세다'이고 '세게'가 바른 표현입니다.

8 (1) 낱말의 원래 모양은 '흘러넘치다'이고 '흘러넘치-'에 '-어요'가 붙어서 줄어든 '흘러넘쳐요'가 바른 표현입니다.
(2) [수기면서]로 소리 나지만 낱말의 원래 모양은 '숙이다'입니다. 따라서 '숙이면서'가 바른 표현입니다.

| Day | 27 | 본문 123쪽 |

| 내용 이해하기 |

1 (1) - ②   (2) - ①
2 눈이 번쩍
3 ③

| 어휘 익히기 |

4 (1) 한참   (2) 작별   (3) 군침
5 (1) ①   (2) ②
6 ③

| 맞춤법 · 받아쓰기 |

7 (1) 집어   (2) 찌푸렸어요   (3) 베어
8 (1) ② → 반갑게   (2) ③ → 편히
9 (1) 온갖 음식이 가득했어요.
  (2) 갑자기 문이 벌컥 열리며
  (3) 한참을 서성이다

| 내용 이해하기 |

1 시골 쥐의 식탁에는 도토리와 옥수수가 있었고, 도시 쥐의 식탁에는 꿀, 치즈, 케이크, 과일 등의 음식이 있었습니다.

2 시골 쥐는 자신이 가장 좋아하는 샛노란 치즈를 보고 정신이 갑자기 들었습니다. '정신이 갑자기 들다.'라는 뜻의 관용어는 '눈이 번쩍 뜨이다'입니다.

3 "이만 집에 가야겠어. 나는 도토리와 옥수수만 먹어도 마음 편히 지낼 수 있는 우리 집이 훨씬 좋아."라는 시골 쥐의 말에서 알 수 있습니다.

| 어휘 익히기 |

5 (1) '으리으리하다'는 '모양이나 규모가 굉장하다.'라는 뜻입니다.

(2) '서성이다'는 '한곳에 서 있지 않고 주위를 왔다 갔다 하다.'라는 뜻입니다.

6 알라딘은 동굴 속에서 보물을 보고 깜짝 놀라 정신이 갑자기 들었습니다. '정신이 갑자기 들다.'라는 뜻의 관용어는 '눈이 번쩍 뜨이다'입니다.

| 맞춤법 · 받아쓰기 |

7 (1) '손가락이나 발가락으로 물건을 잡아서 들다'라는 뜻의 '집다'가 낱말의 원래 모양이고 '집어'가 바른 표현입니다. '짚다'는 '벽 등에 몸을 기대어 의지하다.'라는 뜻입니다.
(2) 낱말의 원래 모양은 '찌푸리다'이고 '찌푸렸어요'가 바른 표현입니다.
(3) 낱말의 원래 모양은 '베다'이고 '베어'가 바른 표현입니다.

8 (1) 낱말의 원래 모양은 '반갑다'이고 '반갑게'가 바른 표현입니다.
(2) '편히'가 바른 표현입니다.

| Day | 28 | 본문 127쪽 |

| 내용 이해하기 |

1 (1) ○   (2) ×   (3) ×
2 (1) 서러운   (2) 고마운
3 죽마고우

| 어휘 익히기 |

4 (1) 분발하다   (2) 격려하다   (3) 분하다
5 (1) - ②   (2) - ①
6 동수

| 맞춤법 · 받아쓰기 |

7 (1) 열심히   (2) 게으름
8 (1) 격려했어요   (2) 형편
9 (1) 어릴 때부터 함께한
  (2) 점점 게으름을 피웠어요.
  (3) 매정하게 대해서 미안해.

| 내용 이해하기 |

1 (1) 바위와 나무는 열심히 공부했지만, 바위가 과거에 급제했을 때 나무는 과거에서 떨어졌습니다.
(2) 나무는 공부에 몰두하여 과거 시험에 합격했습니다.

(3) 바위는 나무가 분발해서 공부하게 하려고 매정하게 대했습니다.

2 (1) 다정했던 바위가 매정하게 나무의 부탁을 거절하자 나무는 서럽고 분했습니다.
(2) "정말 고마워. 우리 앞으로 더 우애 좋게 지내자."라는 나무의 말에서 알 수 있습니다.

3 어릴 때부터 같이 가까이 놀며 자란 가까운 친구를 '죽마고우'라고 합니다.

| 어휘 익히기 |

5 (1) '매정하다'는 '얄미울 정도로 쌀쌀맞고 인정이 없다.'라는 뜻입니다.
(2) '몰두하다'는 '다른 일에는 관심을 가지지 않고 한 가지 일에만 집중하다.'라는 뜻입니다.

6 동수는 미나가 세 살 때부터 친하게 지내서 비밀까지 이야기할 수 있는 친구이므로 동수가 미나의 '죽마고우'입니다.

| 맞춤법 · 받아쓰기 |

7 (1) '열심' 뒤에 '히'를 붙인 '열심히'가 바른 표현입니다.
(2) 모음 'ㅔ'를 쓴 '게으름'이 바른 표현입니다.

8 (1) 낱말의 원래 모양은 '격려하다'이고 '격려했어요'가 바른 표현입니다.
(2) '형편'이 바른 표현입니다.

| 내용 이해하기 |

1 두 친구는 도서관에서 큰 소리로 말하고 있었습니다. 도서관에서는 큰 소리로 떠들면 안 됩니다.

2 석영이는 자신도 질서를 지키지 못했다는 생각이 들어 부끄러웠고 얼굴이 빨개졌습니다.

3 글의 마지막 문장에서 알 수 있습니다.

| 어휘 익히기 |

6 (1) 지하철에서는 작은 소리로 이야기해야 합니다.
(2) 버스를 탈 때에는 차례대로 줄을 서야 합니다.
(3) 도서관에서는 뛰지 않고 걸어 다녀야 합니다.

| 맞춤법 · 받아쓰기 |

7 (1) [가저올께]라고 소리 나지만 '가져올게'가 바른 표현입니다.
(2) '매워요'가 바른 표현입니다.
(3) 낱말의 원래 모양은 '다루다'이고 '다루어야'가 바른 표현입니다.

8 (1) 언니와 함께 놀았다는 의미가 되어야 하므로 '같이'가 바른 표현입니다. '가치'는 '값이나 귀중한 정도.'라는 뜻입니다.
(2) '가게'가 바른 표현입니다.

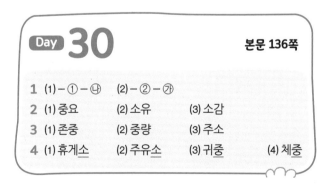

Day 29   본문 131쪽

| 내용 이해하기 |
1 ②
2 부끄러워서
3 ③
| 어휘 익히기 |
4 (1) - ②　　　(2) - ①
5 (1) 주문했다　(2) 다짐했다　(3) 떠올렸다
6 (1) ③　　　　(2) ②　　　　(3) ④
| 맞춤법 · 받아쓰기 |
7 (1) 가져올게　(2) 매워요　(3) 다루어야
8 (1) 같이　　　(2) 가게
9 (1) 이곳에서 뛰면 안 돼.
(2) 사람이 많이 모이는 곳
(3) 선생님 말씀을 떠올렸어요.

Day 30   본문 136쪽

1 (1) - ① - ④　(2) - ② - ㉗
2 (1) 중요　　　(2) 소유　　　(3) 소감
3 (1) 존중　　　(2) 중량　　　(3) 주소
4 (1) 휴게소　　(2) 주유소　　(3) 귀중　　(4) 체중

1 (1) 所 바 소 (2) 重 무거울(무겁다) 중

(1) 겸손하다　(2) 작별　(3) 격려하다
(4) 분발하다　(5) 다짐하다　(6) 소유
(7) 중량

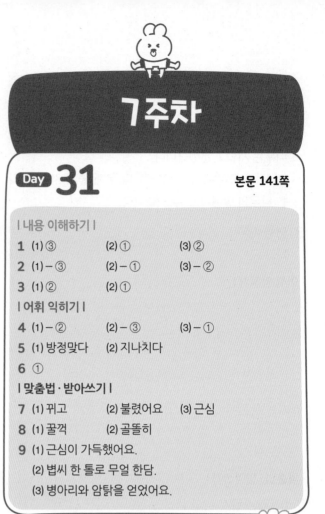

7주차

Day 31　　본문 141쪽

| 내용 이해하기 |

1 (1) ③　　(2) ①　　(3) ②
2 (1) － ③　　(2) － ①　　(3) － ②
3 (1) ②　　(2) ①

| 어휘 익히기 |

4 (1) － ②　　(2) － ③　　(3) － ①
5 (1) 방정맞다　(2) 지나치다
6 ①

| 맞춤법·받아쓰기 |

7 (1) 꾀고　　(2) 불렸어요　(3) 근심
8 (1) 꿀꺽　　(2) 골똘히
9 (1) 근심이 가득했어요.
　　(2) 볍씨 한 톨로 무얼 한담.
　　(3) 병아리와 암탉을 얻었어요.

| 내용 이해하기 |

1 (1) 첫째 며느리는 입만 열면 불평했습니다.
　　(2) 둘째 며느리는 방정맞았습니다.
　　(3) 셋째 며느리는 다른 두 며느리와 달리 지혜로웠습니다.

2 (1) 첫째 며느리는 콧방귀를 뀌며 볍씨를 마당에 휙 던졌습니다.
　　(2) 둘째 며느리는 볍씨를 꿀꺽 삼켰습니다.
　　(3) 셋째 며느리는 다른 두 며느리와 달리 볍씨로 재산을 불렸습니다.

3 이 이야기에서 '천 리 길'은 이루고자 하는 큰 일인 '볍씨로 큰 재산을 만드는 것'이고, '한 걸음'은 그 시작이었던 '볍씨로 참새를 잡은 것'입니다.

| 어휘 익히기 |

6 높은 산을 오르는 것은 큰 일이지만 천천히 걷다 보면 결국은 산에 오를 수 있다는 이야기가 되는 것이 자연스럽습니다. '아무리 큰 일이라도 작은 일부터 시작된다.'는 뜻의 속담은 '천 리 길도 한 걸음부터'입니다.

| 맞춤법·받아쓰기 |

7 (1) 낱말의 원래 모양은 '뀌다'이고 '뀌고'가 바른 표현입니다.

(2) 낱말의 원래 모양은 '불리다'이고 '불리-'에 '-었어요'
가 붙어서 줄어든 '불렸어요'가 바른 표현입니다.

(3) '근심'이 바른 표현입니다.

8 (1) '꿀꺽'이 바른 표현입니다.

(2) '골똘히'가 바른 표현입니다.

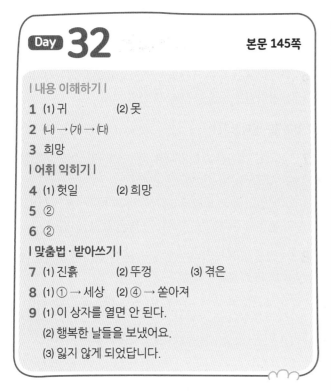

Day 32   본문 145쪽

| 내용 이해하기 |

1 (1) 귀   (2) 못

2 (나) → (개) → (대)

3 희망

| 어휘 익히기 |

4 (1) 헛일   (2) 희망

5 ②

6 ②

| 맞춤법 · 받아쓰기 |

7 (1) 진흙   (2) 뚜껑   (3) 겪은

8 (1) ① → 세상   (2) ④ → 쏟아져

9 (1) 이 상자를 열면 안 된다.

(2) 행복한 날들을 보냈어요.

(3) 잃지 않게 되었답니다.

| 내용 이해하기 |

1 같은 말을 여러 번 들어서 지겨울 때 쓰는 관용어는 '귀
에 못이 박히다'입니다.

2 판도라가 상자를 열자 상자 안에서 여러 나쁜 것들이
나왔습니다. 판도라가 상자를 닫았다가 다시 열어보니
상자 안에는 아주 작은 '희망'이 남아 있었습니다. 이 희
망이 남아 있는 덕분에 사람들은 힘들거나 나쁜 일을
겪어도 희망을 잃지 않게 되었습니다.

3 상자 안에 남아 있던 아주 작은 것은 '희망'이었습니다.

| 어휘 익히기 |

5 ② '다급하게'는 '일이 닥쳐서 몹시 급하게.'라는 뜻이므
로 주변 풍경을 천천히 둘러보며 걷는 상황과는 어울리
지 않습니다.

6 엄마가 음식을 골고루 먹어야 한다는 말씀을 여러 번
하셨다는 뜻이 되어야 하므로 '귀에 못이 박히게'가 어
울립니다.

① '귀를 기울이다'는 '주의를 집중하여 성심껏 잘 듣다.'
라는 뜻입니다.

③ '귀가 번쩍 뜨이다'는 '무척 그럴듯해 선뜻 마음이 끌
리다.'라는 뜻입니다.

| 맞춤법 · 받아쓰기 |

7 (1) [진흑]으로 소리 나지만 '진흙'이 바른 표현입니다.

(2) '뚜껑'이 바른 표현입니다.

(3) 낱말의 원래 모양은 '겪다'이고 '겪은'이 바른 표현입
니다.

8 (1) '세상'이 바른 표현입니다.

(2) 낱말의 원래 모양은 '쏟아지다'이고 '쏟아지-'에 '-어'
가 붙어서 줄어든 '쏟아져'가 바른 표현입니다.

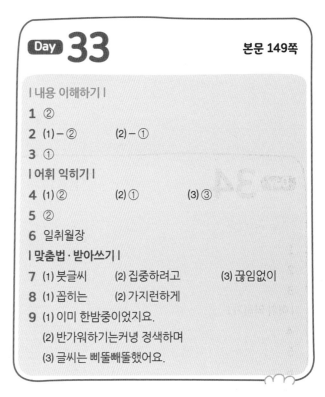

Day 33   본문 149쪽

| 내용 이해하기 |

1 ②

2 (1) - ②   (2) - ①

3 ①

| 어휘 익히기 |

4 (1) ②   (2) ①   (3) ③

5 ②

6 일취월장

| 맞춤법 · 받아쓰기 |

7 (1) 붓글씨   (2) 집중하려고   (3) 끊임없이

8 (1) 꼽히는   (2) 가지런하게

9 (1) 이미 한밤중이었지요.

(2) 반가워하기는커녕 정색하며

(3) 글씨는 삐뚤빼뚤했어요.

| 내용 이해하기 |

1 ② 한석봉은 스스로 붓글씨를 익히고 절에 들어가 글공
부를 했습니다.

2 어머니가 썬 떡은 가지런한데 한석봉이 쓴 글씨는 삐뚤
빼뚤했습니다.

3 '일취월장'은 '나날이 자라거나 발전함.'을 뜻하는 한자 성어입니다.

| 어휘 익히기 |

5 ① '마치다'와 '끝내다'는 뜻이 비슷한 낱말입니다.
② '가지런하다'와 '삐뚤빼뚤하다'는 뜻이 반대인 낱말입니다.

6 예전에는 지훈이가 이름을 말하는 것도 쑥스러워했는데, 이제는 발표를 잘할 정도로 많이 발전했습니다. 나날이 자라고 발전하는 것을 나타내는 한자 성어는 '일취월장'입니다.

| 맞춤법·받아쓰기 |

7 (1) '붓'과 '글씨'가 합쳐진 '붓글씨'가 바른 표현입니다.
(2) [집쭝하려고]로 소리 나지만 낱말의 원래 모양은 '집중하다'입니다. 그러므로 '집중하려고'가 바른 표현입니다.
(3) 낱말의 원래 모양은 '끊임없다'이고 '끊임없이'가 바른 표현입니다.

8 (1) [꼬피는]으로 소리 나지만 낱말의 원래 모양은 '꼽히다'입니다. 그러므로 '꼽히는'이 바른 표현입니다.
(2) 낱말의 원래 모양은 '가지런하다'이고 '가지런하게'가 바른 표현입니다.

| 내용 이해하기 |

1 ③ 사진의 의상은 '킬트'입니다. 킬트는 영국의 스코틀랜드 지방에서 남자가 입는 치마입니다.

3 글의 마지막 문장에서 알 수 있습니다.

| 어휘 익히기 |

5 (1) '챙'은 햇볕을 가리기 위해 모자의 끝에 댄 부분입니다.
(2) '옷깃'은 윗옷에서 목둘레에 길게 덧붙여 있는 부분입니다.

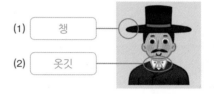

(1) 챙
(2) 옷깃

6 (1) 챙이 넓은 모자와 판초는 멕시코의 전통 의상입니다.
(2) 천막집은 몽골의 전통 가옥입니다.

| 맞춤법·받아쓰기 |

7 (1) '고깔'이 바른 표현입니다.
(2) '체크무늬'가 바른 표현입니다.
(3) 낱말의 원래 모양은 '옮기다'이고 '옮기-'에 '-었어요'가 붙어서 줄어든 '옮겼어요'가 바른 표현입니다.

8 (1) '빛을 받아 나타나는 물체의 색.'을 뜻하는 낱말인 '빛깔'이 바른 표현입니다.
(2) [널븐]으로 소리 나지만 '넓은'이 바른 표현입니다.

Day 34　　　　　　　　　본문 153쪽

| 내용 이해하기 |
1 ③
2 (1) 게르　　　(2) 이글루
3 전통
| 어휘 익히기 |
4 (1) - ①　　　(2) - ③　　　(3) - ②
5 해설 참조
6 (1) 의상　　　(2) 가옥
| 맞춤법·받아쓰기 |
7 (1) 고깔　　　(2) 체크무늬　　　(3) 옮겼어요
8 (1) 빛깔　　　(2) 넓은
9 (1) 몸에 딱 붙는 옷이에요.
　　(2) 벽돌집보다 훨씬 따뜻해서
　　(3) 큰 벽돌 모양으로 쌓아

Day 35　　　　　　　　　본문 158쪽

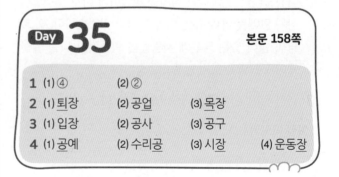

1 (1) ④　　　(2) ②
2 (1) 퇴장　　(2) 공업　　(3) 목장
3 (1) 입장　　(2) 공사　　(3) 공구
4 (1) 공예　　(2) 수리공　　(3) 시장　　(4) 운동장

1 (1) 工 장인 공 (2) 場 마당 장

(1) 재산   (2) 명심하다   (3) 다급하다

(4) 정색하다   (5) 기후   (6) 공구

(7) 목장

8주차

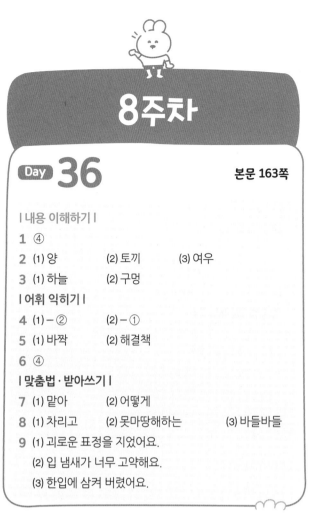

Day 36   본문 163쪽

| 내용 이해하기 |

1 ④

2 (1) 양   (2) 토끼   (3) 여우

3 (1) 하늘   (2) 구멍

| 어휘 익히기 |

4 (1) – ②   (2) – ①

5 (1) 바짝   (2) 해결책

6 ④

| 맞춤법·받아쓰기 |

7 (1) 맡아   (2) 어떻게

8 (1) 차리고   (2) 못마땅해하는   (3) 바들바들

9 (1) 괴로운 표정을 지었어요.

    (2) 입 냄새가 너무 고약해요.

    (3) 한입에 삼켜 버렸어요.

| 내용 이해하기 |

1 글에는 사자, 양, 토끼, 여우가 나옵니다.

3 여우가 사자에게 잡아먹힐 수도 있는 아주 어려운 상황입니다. '어려운 상황에도 그것을 해결할 방법이 있다.'라는 뜻의 속담은 '하늘이 무너져도 솟아날 구멍이 있다'입니다.

| 어휘 익히기 |

6 알라딘은 동굴에 갇혀 나가지 못하는 어려운 상황에 있었습니다. 그때 반지의 거인이 나타나 알라딘의 문제를 해결해 주었으므로 '하늘이 무너져도 솟아날 구멍이 있다'라는 속담이 이야기의 상황에 알맞습니다.

| 맞춤법·받아쓰기 |

7 (1) 낱말의 원래 모양은 '코로 냄새를 느끼다.'라는 뜻의 낱말인 '맡다'이고 '맡아'가 바른 표현입니다.

    (2) '어떻–'에 '–게'가 합쳐진 '어떻게'가 바른 표현입니다. '어떡해'는 '어떻게 해'가 줄어든 말입니다.

8 (1) 낱말의 원래 모양은 '차리다'이고 '차리고'가 바른 표현입니다.

    (2) 낱말의 원래 모양은 '못마땅하다'이고 '못마땅해하는'이 바른 표현입니다.

    (3) '바들바들'이 바른 표현입니다.

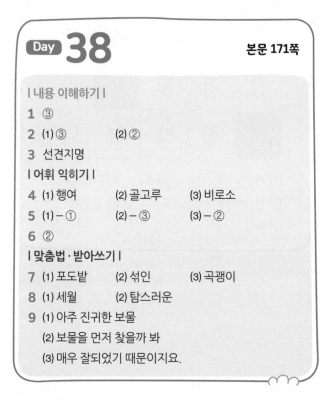

Day 37

본문 167쪽

| 내용 이해하기 |

1 ③

2 (1) 발등　　　(2) 불

3 ①

| 어휘 익히기 |

4 (1) 국경　　　(2) 길목　　　(3) 피난

5 (1) ○　　　(2) ×

6 (1) ②　　　(2) ③

| 맞춤법·받아쓰기 |

7 (1) 끓을　　　(2) 길러서　　　(3) 일단

8 (1) ③ → 내세우며　　　(2) ④ → 맺었어요

9 (1) 섬기라고 강요했어요.

　(2) 군사가 들이닥칠지 모르니

　(3) 청나라에 맞서 싸웠어요.

| 내용 이해하기 |

1 청나라는 조선에게 명나라와의 관계를 끊고 청나라를 황제의 나라로 섬기라고 강요했습니다.

2 청나라 군사가 한양 가까이까지 내려와 빨리 피해야 하는 급한 상황입니다. 이렇게 아주 급한 상황에 놓였을 때 '발등에 불이 떨어졌다'라고 합니다.

3 ② 청나라와 조선은 임금과 신하의 관계를 맺었습니다.
　③ 인조의 아들들이 청나라에 끌려갔습니다.
　④ 조선은 47일 동안 청나라에 맞서 싸웠지만 결국 청나라에 졌습니다.

| 어휘 익히기 |

5 (1) '섬기다'는 '특별한 존재로 삼아 따르고 받들다.'라는 뜻입니다.
　(2) '항복하다'는 '싸움에 진 것을 상대에게 인정하다.'라는 뜻이므로 큰 승리를 거두었다는 문장에는 어울리지 않습니다.

6 아주 급한 상황에 놓였을 때 '발등에 불이 떨어졌다'라고 합니다.

| 맞춤법·받아쓰기 |

7 (1) 낱말의 원래 모양은 '끓다'이고 '끓을'이 바른 표현입니다.
　(2) 낱말의 원래 모양은 '기르다'이고 '길러서'가 바른 표현입니다.
　(3) [일딴]으로 소리 나지만 '일단'이 바른 표현입니다.

8 (1) 낱말의 원래 모양은 '내세우다'이고 '내세우며'가 바른 표현입니다.
　(2) 낱말의 원래 모양은 '맺다'이고 '맺었어요'가 바른 표현입니다.

Day 38

본문 171쪽

| 내용 이해하기 |

1 ③

2 (1) ③　　　(2) ②

3 선견지명

| 어휘 익히기 |

4 (1) 행여　　　(2) 골고루　　　(3) 비로소

5 (1) - ①　　　(2) - ③　　　(3) - ②

6 ②

| 맞춤법·받아쓰기 |

7 (1) 포도밭　　　(2) 섞인　　　(3) 곡괭이

8 (1) 세월　　　(2) 탐스러운

9 (1) 아주 진귀한 보물

　(2) 보물을 먼저 찾을까 봐

　(3) 매우 잘되었기 때문이지요.

| 내용 이해하기 |

1 농부는 아들들이 포도밭에 나가 일하기를 싫어해서 걱정했습니다.

2 농부가 세 아들에게 포도밭에 보물이 숨겨져 있다고 말하자 세 아들은 다른 사람이 보물을 먼저 찾을까 봐 날마다 포도밭을 팠습니다. 그 결과, 포도밭의 흙이 골고루 섞인 덕분에 포도 농사가 잘되어 포도가 주렁주렁 열렸습니다.

3 농부는 자신이 세상을 떠난 뒤 아들들이 일하도록 미리 준비해 두었습니다. 이렇게 다가올 일을 미리 내다보고 아는 지혜를 '선견지명'이라고 합니다.

| 어휘 익히기 |

5 (1) 밭을 가는 것은 '일구다'와 어울립니다. '일구다'는 '농사를 짓기 위해 땅을 파서 일으키다.'라는 뜻입니다.
　(2) 귀하고 값비싼 보석은 '진귀하다'와 어울립니다. '진귀하다'는 '보기 드물게 귀중하다.'라는 뜻입니다.
　(3) 오늘 좋은 일이 일어날 것 같은 느낌이 드는 것은 '예

감하다'와 어울립니다. '예감하다'는 '무슨 일이 생길 것 같이 느끼다.'라는 뜻입니다.

6 현수는 곧 쪽지 시험을 볼 것 같다고 앞으로 일어날 일에 미리 지혜롭게 대비했습니다. 이렇게 다가올 일을 미리 내다보고 아는 지혜를 '선견지명'이라고 합니다.

|맞춤법·받아쓰기|

7 (1) '포도밭'이 바른 표현입니다.
(2) 낱말의 원래 모양은 '섞이다'이고 '섞인'이 바른 표현입니다.
(3) '곡괭이'가 바른 표현입니다.

8 (1) '세월'이 바른 표현입니다.
(2) 낱말의 원래 모양은 '탐스럽다'이고 '탐스러운'이 바른 표현입니다.

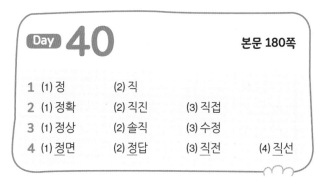

Day 39   본문 175쪽

|내용 이해하기|
1 (1) 곰, 뱀, 다람쥐   (2) 여우, 청설모, 호랑이
2 ③
3 겨울나기
|어휘 익히기|
4 (1) – ②   (2) – ①   (3) – ③
5 ②
6 (1) 겨울잠   (2) 털갈이
|맞춤법·받아쓰기|
7 (1) 채   (2) 시들어   (3) 식물
8 (1) 밑   (2) 떨어뜨렸어요
9 (1) 먹이와 양분이 부족한 겨울
(2) 씨앗을 땅에 심으면
(3) 이듬해 봄을 기다린답니다.

|내용 이해하기|

1 (1) 곰, 뱀, 다람쥐는 겨울잠을 잡니다.
(2) 여우, 청설모, 호랑이는 겨울잠을 자지 않고 털갈이를 해서 겨울을 납니다.

2 벚나무와 은행나무처럼 잎이 넓은 나무는 겨울에 잎을 스스로 떨어뜨리고, 소나무처럼 잎이 가는 나무들은 겨울에 잎을 떨어뜨리지 않습니다.

3 동물과 식물이 겨울을 보내는 것을 '동식물의 겨울나기'라고 합니다.

|어휘 익히기|

6 (1) 다람쥐는 겨울잠을 자다가 배가 고프면 일어나서 도토리를 먹고 다시 잡니다.
(2) 호랑이는 날씨가 추워지면 털갈이를 합니다.

|맞춤법·받아쓰기|

7 (1) 어떤 상태가 다 되지 않았다는 뜻이 되어야 하므로 '채'가 바른 표현입니다.
(2) 낱말의 원래 모양은 '시들다'이고 '시들어'가 바른 표현입니다.
(3) [싱물]로 소리 나지만 '식물'이 바른 표현입니다.

8 (1) '밑'이 바른 표현입니다.
(2) 낱말의 원래 모양은 '떨어뜨리다'이고 '떨어뜨렸어요'가 바른 표현입니다.

Day 40   본문 180쪽

1 (1) 정   (2) 직
2 (1) 정확   (2) 직진   (3) 직접
3 (1) 정상   (2) 솔직   (3) 수정
4 (1) 정면   (2) 정답   (3) 직전   (4) 직선

1 (1) 正 바를 정 (2) 直 곧을 직

8주차 복습   본문 182쪽

(1) 해결책   (2) 섬기다   (3) 예감하다
(4) 비로소   (5) 빽빽하다   (6) 수정
(7) 직진

MEMO

어휘력
자신감
2 단계

초등 풍산자로 개념을 적용하고 응용하여
연산, 유형, 서술형을 풀면 실력이 탄탄해집니다

처음 배우는 수학을 쉽게 접근하는 초등 풍산자 로드맵

연산 집중훈련서	교과 유형학습서	서술형 집중연습서	연산 반복훈련서
▶ 풍산자 개념X연산	▶ 풍산자 개념X유형	▶ 풍산자 개념X서술형	▶ 풍산자 연산

초등 풍산자 교재	하	중하	중	상
연산 집중훈련서 **풍산자 개념X연산**	개념 적용 연산 학습, 기초 실력 완성			
교과 유형학습서 **풍산자 개념X유형**		개념 응용 유형 학습, 기본 실력 완성		
서술형 집중연습서 **풍산자 개념X서술형**		개념 활용 서술형 연습, 문제 해결력 완성		
풍산자 연산 연산 반복훈련서 **풍산자 연산**	연산만 집중적으로 반복 학습			

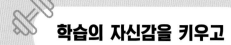

지학사 초등 국어

자신감 시리즈

공부의 기초 체력을 높이는

어휘력 자신감

하루 15분 즐거운 공부 습관

- 속담, 관용어, 한자 성어, 교과 어휘, 한자 어휘가 담긴 재미있는 글을 통한 어휘·어법 공부

- 교과서 속 개념 용어를 재미있게 익히는 초등 교과 연계

- 맞춤법, 띄어쓰기 등 기초 어법 학습 완벽 수록
- 지문 듣기, 받아쓰기, 온라인 낱말 게임 제공

독해력 자신감

긴 글은 빠르게! 어려운 글은 쉽게!

- 문학, 독서를 아우르는 흥미로운 주제를 통한 재미있는 독해 연습

- 주요 과목과 예체능 과목의 교과 지식을 통한 전 과목 학습

- 빠르고 쉽게 글을 읽을 수 있는 6개 독해 기술을 통한 독해 비법 전수